Practicar

Eureka Math®
2.° grado
Módulos 1–5

Publicado por Great Minds®.

Copyright © 2019 Great Minds®.

Impreso en los EE. UU.
Este libro puede comprarse en la editorial en eureka-math.org.
2 3 4 5 6 7 8 9 10 BAB 25 24 23

ISBN 978-1-64054-885-5

G2-SPA-M1-M5-P-05.2019

Aprender • Practicar • Triunfar

Los materiales del estudiante de *Eureka Math*® para *Una historia de unidades*™ (K–5) están disponibles en la trilogía *Aprender, Practicar, Triunfar*. Esta serie apoya la diferenciación y la recuperación y, al mismo tiempo, permite la accesibilidad y la organización de los materiales del estudiante. Los educadores descubrirán que la trilogía *Aprender, Practicar y Triunfar* también ofrece recursos consistentes con la Respuesta a la intervención (RTI, por sus siglas en inglés), las prácticas complementarias y el aprendizaje durante el verano que, por ende, son de mayor efectividad.

Aprender

Aprender de *Eureka Math* constituye un material complementario en clase para el estudiante, a través del cual pueden mostrar su razonamiento, compartir lo que saben y observar cómo adquieren conocimientos día a día. *Aprender* reúne el trabajo en clase—la Puesta en práctica, los Boletos de salida, los Grupos de problemas, las plantillas—en un volumen de fácil consulta y al alcance del usuario.

Practicar

Cada lección de *Eureka Math* comienza con una serie de actividades de fluidez que promueven la energía y el entusiasmo, incluyendo aquellas que se encuentran en *Practicar* de *Eureka Math*. Los estudiantes con fluidez en las operaciones matemáticas pueden dominar más material, con mayor profundidad. En *Practicar*, los estudiantes adquieren competencia en las nuevas capacidades adquiridas y refuerzan el conocimiento previo a modo de preparación para la próxima lección.

En conjunto, *Aprender* y *Practicar* ofrecen todo el material impreso que los estudiantes utilizarán para su formación básica en matemáticas.

Triunfar

Triunfar de *Eureka Math* permite a los estudiantes trabajar individualmente para adquirir el dominio. Estos grupos de problemas complementarios están alineados con la enseñanza en clase, lección por lección, lo que hace que sean una herramienta ideal como tarea o práctica suplementaria. Con cada grupo de problemas se ofrece una Ayuda para la tarea, que consiste en un conjunto de problemas resueltos que muestran, a modo de ejemplo, cómo resolver problemas similares.

Los maestros y los tutores pueden recurrir a los libros de *Triunfar* de grados anteriores como instrumentos acordes con el currículo para solventar las deficiencias en el conocimiento básico. Los estudiantes avanzarán y progresarán con mayor rapidez gracias a la conexión que permiten hacer los modelos ya conocidos con el contenido del grado escolar actual del estudiante.

Estudiantes, familias y educadores:

Gracias por formar parte de la comunidad de *Eureka Math*®, donde celebramos la dicha, el asombro y la emoción que producen las matemáticas. Una de las formas más evidentes de demostrar nuestro entusiasmo son las actividades de fluidez que ofrece Practicar de *Eureka Math*.

¿En qué consiste la fluidez en matemáticas?

Es natural asociar *fluidez* con la disciplina de lengua y literatura, donde se refiere a hablar y escribir con facilidad. Desde prekínder hasta 5.° grado, el currículo de *Eureka Math* ofrece diversas oportunidades, día a día, de consolidar la fluidez *en matemáticas*. Cada una de ellas está diseñada con el mismo concepto—aumentar la habilidad de todos los estudiantes de usar las matemáticas *con facilidad*—. El ritmo de las actividades de fluidez suele ser rápido y energético, celebrando el avance y concentrándose en el reconocimiento de patrones y asociaciones en el material. Estas actividades no tienen como objetivo dar calificaciones.

Las actividades de fluidez de *Eureka Math* brindan una práctica diferenciada a través de diversos formatos—algunas se realizan en forma oral, otras emplean materiales didácticos, otras utilizan una pizarra personal y otras incluso usan una guía de estudio y el formato de papel y lápiz—. *Practicar* de *Eureka Math* brinda a cada estudiante ejercicios de fluidez impresos correspondientes a su grado.

¿Qué es un Sprint?

Muchas de las actividades de fluidez impresas utilizan el formato denominado Sprint. Estos ejercicios desarrollan la velocidad y la exactitud en las destrezas que ya se han adquirido. Los Sprints, que se utilizan cuando los estudiantes ya están alcanzando un nivel de dominio óptimo, aprovechan el ritmo para provocar una pequeña descarga de adrenalina que aumenta la memoria y la retención. El diseño deliberado de los Sprints los hace diferenciados por naturaleza; los problemas van de sencillos a complejos, donde el primer cuadrante de los problemas es el más sencillo y la complejidad aumenta en los cuadrantes subsiguientes. Además, los patrones intencionales en la secuencia de los problemas obligan a los estudiantes a aplicar un razonamiento de nivel superior.

El formato sugerido para trabajar con un Sprint requiere que el estudiante realice dos Sprints consecutivos (identificados como A y B) para la misma destreza, en el lapso cronometrado de un minuto cada uno. Los estudiantes hacen una pausa entre los Sprints para expresar los patrones que identificaron al trabajar en el primer Sprint. El reconocimiento de patrones suele mejorar naturalmente el rendimiento en el segundo Sprint.

También es posible llevar a cabo los Sprint sin cronometrar el tiempo. Se recomienda especialmente no utilizar el cronometraje cuando los estudiantes aún están adquiriendo confianza en el nivel de complejidad del primer cuadrante de los problemas. Una vez que todos los estudiantes se encuentran preparados para llevar a cabo los Sprint con éxito, suele resultar estimulante y positivo comenzar a trabajar para mejorar la velocidad y la exactitud, aprovechando la energía que produce el uso del cronómetro.

¿Dónde puedo encontrar otras actividades de fluidez?

La *Edición del maestro* de *Eureka Math* guía a los educadores en el uso de las actividades de fluidez de cada lección, incluso aquellas que no requieren material impreso. Además, a través de *Eureka Digital Suite* se puede acceder a las actividades de fluidez de todos los grados, y es posible hacer una búsqueda por estándar o lección.

¡Les deseo un año colmado de momentos "¡ajá!"!

Jill Diniz

Jill Diniz
Jill Diniz Directora de matemáticas
Great Minds

Contenido

Módulo 1

Módulo 2

Módulo 3

Módulo 4

Módulo 5

2.° grado
Módulo 1

Alicia ☆

Ejercicio de práctica

Número objetivo:

Selecciona un *número objetivo* y escríbelo en el círculo de la parte superior de la hoja. Tira un dado. Escribe el número que hayas tirado con el dado en el círculo del extremo de una de las flechas. Después, dale al blanco escribiendo el número que necesitas sumar para obtener el número objetivo que está en el otro círculo.

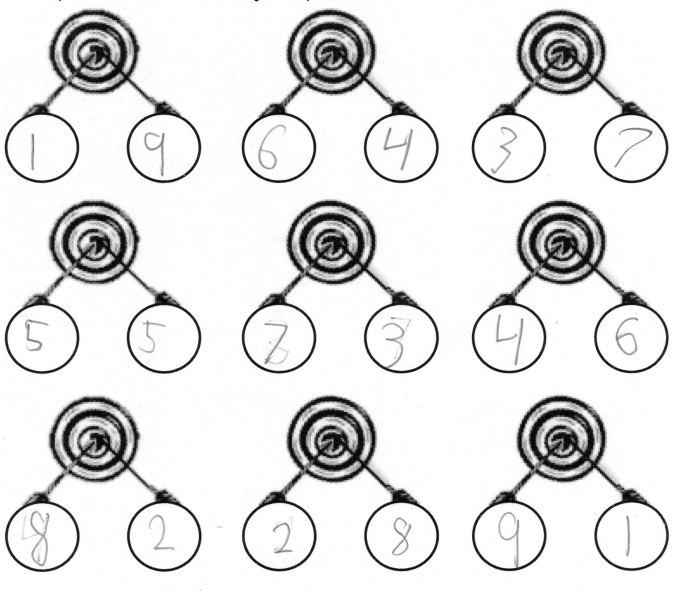

_____

ejercicio de práctica

2.° grado
Módulo 2

A

Encierra en un círculo la longitud mayor.

Respuestas correctas: _____

1.	1 cm	0 cm	23.	110 cm	101 cm	
2.	11 cm	10 cm	24.	110 cm	1 m	
3.	11 cm	12 cm	25.	1 m	111 cm	
4.	22 cm	12 cm	26.	101 cm	1 m	
5.	29 cm	30 cm	27.	111 cm	101 cm	
6.	31 cm	13 cm	28.	112 cm	102 cm	
7.	43 cm	33 cm	29.	110 cm	115 cm	
8.	33 cm	23 cm	30.	115 cm	105 cm	
9.	35 cm	53 cm	31.	106 cm	116 cm	
10.	50 cm	35 cm	32.	108 cm	98 cm	
11.	55 cm	45 cm	33.	119 cm	99 cm	
12.	50 cm	55 cm	34.	131 cm	133 cm	
13.	65 cm	56 cm	35.	133 cm	113 cm	
14.	66 cm	56 cm	36.	142 cm	124 cm	
15.	66 cm	86 cm	37.	144 cm	114 cm	
16.	86 cm	68 m	38.	154 cm	145 cm	
17.	68 cm	88 cm	39.	155 cm	152 cm	
18.	89 cm	98 cm	40.	198 cm	199 cm	
19.	99 cm	98 m	41.	215 cm	225 cm	
20.	99 cm	1 m	42.	252 cm	255 cm	
21.	1 m	101 cm	43.	2 m	295 cm	
22.	1 m	90 cm	44.	3 m	295 cm	

B

Respuestas correctas: _____

Mejora: _____

Encierra en un círculo la longitud mayor.

1.	0 cm	1 cm	23.	111 cm	101 cm
2.	10 cm	12 cm	24.	101 cm	110 cm
3.	12 cm	11 cm	25.	1 m	110 cm
4.	32 cm	13 cm	26.	111 cm	1 m
5.	39 cm	40 cm	27.	113 cm	117 cm
6.	41 cm	14 cm	28.	112 cm	111 cm
7.	44 cm	40 cm	29.	115 cm	105 cm
8.	44 cm	54 cm	30.	106 cm	116 cm
9.	55 cm	65 cm	31.	107 cm	117 cm
10.	60 cm	59 cm	32.	118 cm	108 cm
11.	65 cm	45 cm	33.	119 cm	120 cm
12.	70 cm	65 cm	34.	132 cm	123 cm
13.	75 cm	57 cm	35.	133 cm	132 cm
14.	77 cm	76 cm	36.	143 cm	134 cm
15.	87 cm	78 cm	37.	144 cm	114 cm
16.	79 cm	97 m	38.	154 cm	145 cm
17.	79 cm	88 cm	39.	155 cm	152 cm
18.	98 cm	97 cm	40.	195 cm	199 cm
19.	99 cm	1 m	41.	225 cm	152 cm
20.	99 cm	100 cm	42.	252 cm	255 cm
21.	101 cm	100 cm	43.	2 m	295 cm
22.	1 m	101 cm	44.	3 m	295 cm

A

Respuestas correctas: _____

Haz un metro.

1.	10 cm + _____ = 100 cm	
2.	30 cm + _____ = 100 cm	
3.	50 cm + _____ = 100 cm	
4.	70 cm + _____ = 100 cm	
5.	90 cm + _____ = 100 cm	
6.	80 cm + _____ = 100 cm	
7.	60 cm + _____ = 100 cm	
8.	40 cm + _____ = 100 cm	
9.	20 cm + _____ = 100 cm	
10.	21 cm + _____ = 100 cm	
11.	23 cm + _____ = 100 cm	
12.	25 cm + _____ = 100 cm	
13.	27 cm + _____ = 100 cm	
14.	37 cm + _____ = 100 cm	
15.	38 cm + _____ = 100 cm	
16.	39 cm + _____ = 100 cm	
17.	49 cm + _____ = 100 cm	
18.	50 cm + _____ = 100 cm	
19.	52 cm + _____ = 100 cm	
20.	56 cm + _____ = 100 cm	
21.	58 cm + _____ = 100 cm	
22.	62 cm + _____ = 100 cm	

23.	_____ + 62 cm = 1 m	
24.	_____ + 72 cm = 1 m	
25.	_____ + 92 cm = 1 m	
26.	_____ + 29 cm = 1 m	
27.	_____ + 39 cm = 1 m	
28.	_____ + 59 cm = 1 m	
29.	_____ + 89 cm = 1 m	
30.	_____ + 88 cm = 1 m	
31.	_____ + 68 cm = 1 m	
32.	_____ + 18 cm = 1 m	
33.	_____ + 15 cm = 1 m	
34.	_____ + 55 cm = 1 m	
35.	44 cm + _____ = 1 m	
36.	55 cm + _____ = 1 m	
37.	88 cm + _____ = 1 m	
38.	1 m = _____ + 33 cm	
39.	1 m = _____ + 66 cm	
40.	1 m = _____ + 99 cm	
41.	1 m - 11 cm = _____	
42.	1 m - 15 cm = _____	
43.	1 m - 17 cm = _____	
44.	1 m - 19 cm = _____	

B

Respuestas correctas: _____

Mejora: _____

Haz un metro.

1.	1 cm + _____ = 100 cm	
2.	10 cm + _____ = 100 cm	
3.	20 cm + _____ = 100 cm	
4.	40 cm + _____ = 100 cm	
5.	60 cm + _____ = 100 cm	
6.	80 cm + _____ = 100 cm	
7.	90 cm + _____ = 100 cm	
8.	70 cm + _____ = 100 cm	
9.	50 cm + _____ = 100 cm	
10.	30 cm + _____ = 100 cm	
11.	31 cm + _____ = 100 cm	
12.	33 cm + _____ = 100 cm	
13.	35 cm + _____ = 100 cm	
14.	37 cm + _____ = 100 cm	
15.	39 cm + _____ = 100 cm	
16.	49 cm + _____ = 100 cm	
17.	59 cm + _____ = 100 cm	
18.	60 cm + _____ = 100 cm	
19.	62 cm + _____ = 100 cm	
20.	66 cm + _____ = 100 cm	
21.	68 cm + _____ = 100 cm	
22.	72 cm + _____ = 100 cm	

23.	_____ + 72 cm = 1 m	
24.	_____ + 82 cm = 1 m	
25.	_____ + 28 cm = 1 m	
26.	_____ + 38 cm = 1 m	
27.	_____ + 48 cm = 1 m	
28.	_____ + 45 cm = 1 m	
29.	_____ + 43 cm = 1 m	
30.	_____ + 34 cm = 1 m	
31.	_____ + 24 cm = 1 m	
32.	_____ + 14 cm = 1 m	
33.	_____ + 12 cm = 1 m	
34.	_____ + 10 cm = 1 m	
35.	11 cm + _____ = 1 m	
36.	33 cm + _____ = 1 m	
37.	55 cm + _____ = 1 m	
38.	1 m = _____ + 22 cm	
39.	1 m = _____ + 88 cm	
40.	1 m = _____ + 99 cm	
41.	1 m - 1 cm = _____	
42.	1 m - 5 cm = _____	
43.	1 m - 7 cm = _____	
44.	1 m - 17 cm = _____	

2.° grado

Módulo 3

B

Respuestas correctas: _____

Mejora: _____

Forma expandida

1.	10 + 1 =	11	23.	500 + 30 + 6 =	
2.	10 + 2 =	12	24.	300 + 70 + 1 =	
3.	10 + 3 =	13	25.	300 + 1 =	
4.	10 + 9 =	19	26.	400 + 1 =	
5.	20 + 9 =	29	27.	500 + 1 =	
6.	30 + 9 =	39	28.	600 + 1 =	
7.	70 + 9 =	79	29.	900 + 1 =	
8.	30 + 3 =	33	30.	400 + 60 + 3 =	
9.	40 + 4 =	44	31.	400 + 3 =	
10.	80 + 7 =	87	32.	100 + 10 + 5 =	
11.	90 + 5 =	95	33.	100 + 5 =	
12.	100 + 20 =	120	34.	800 + 10 + 5 =	
13.	200 + 30 =	230	35.	800 + 5 =	
14.	300 + 40 =	340	36.	200 + 30 + 7 =	
15.	400 + 50 =		37.	200 + 7 =	
16.	500 + 60 =		38.	600 + 40 + 2 =	
17.	600 + 70 =		39.	600 + 2 =	
18.	300 + 40 + 5 =		40.	2 + 600 =	
19.	400 + 50 + 6 =		41.	3 + 600 =	
20.	500 + 60 + 7 =		42.	3 + 40 + 600 =	
21.	600 + 70 + 8 =		43.	5 + 10 + 800 =	
22.	700 + 80 + 9 =		44.	9 + 20 + 700 =	

Lección 7:   Escribir, leer y relacionar números en base diez en todas las formas.

55

EUREKA MATH®

A

Respuestas correctas: _____

Forma expandida

1.	100 + 20 + 3 =	
2.	100 + 20 + 4 =	
3.	100 + 20 + 5 =	
4.	100 + 20 + 8 =	
5.	100 + 30 + 8 =	
6.	100 + 40 + 8 =	
7.	100 + 70 + 8 =	
8.	500 + 10 + 9 =	
9.	500 + 10 + 8 =	
10.	500 + 10 + 7 =	
11.	500 + 10 + 3 =	
12.	700 + 30 =	
13.	700 + 3 =	
14.	30 + 3 =	
15.	700 + 33 =	
16.	900 + 40 =	
17.	900 + 4 =	
18.	40 + 4 =	
19.	900 + 44 =	
20.	800 + 70 =	
21.	800 + 7 =	
22.	70 + 7 =	

23.	800 + 77 =	
24.	300 + 90 + 2 =	
25.	400 + 80 =	
26.	600 + 7 =	
27.	200 + 60 + 4 =	
28.	100 + 9 =	
29.	500 + 80 =	
30.	80 + 500 =	
31.	2 + 50 + 400 =	
32.	2 + 400 + 50 =	
33.	3 + 70 + 800 =	
34.	40 + 9 + 800 =	
35.	700 + 9 + 20 =	
36.	5 + 300 =	
37.	400 + 90 + 10 =	
38.	500 + 80 + 20 =	
39.	900 + 60 + 40 =	
40.	400 + 80 + 2 =	
41.	300 + 60 + 5 =	
42.	200 + 27 + 5 =	
43.	8 + 700 + 59 =	
44.	47 + 500 + 8 =	

EUREKA MATH®

Lección 10:   Explorar $1,000. ¿Cuántos billetes de $10 podemos cambiar por un billete de mil dólares?

© 2019 Great Minds®. eureka-math.org

57

B

Respuestas correctas: _____

Mejora: _____

Forma expandida

1.	100 + 30 + 4 =	
2.	100 + 30 + 5 =	
3.	100 + 30 + 6 =	
4.	100 + 30 + 9 =	
5.	100 + 40 + 9 =	
6.	100 + 50 + 9 =	
7.	100 + 80 + 9 =	
8.	400 + 10 + 8 =	
9.	400 + 10 + 7 =	
10.	400 + 10 + 6 =	
11.	400 + 10 + 2 =	
12.	700 + 80 =	
13.	700 + 8 =	
14.	80 + 8 =	
15.	700 + 88 =	
16.	900 + 20 =	
17.	900 + 2 =	
18.	20 + 2 =	
19.	900 + 22 =	
20.	700 + 60 =	
21.	700 + 6 =	
22.	60 + 6 =	

23.	700 + 66 =	
24.	200 + 90 + 4 =	
25.	500 + 70 =	
26.	800 + 6 =	
27.	400 + 70 + 4 =	
28.	700 + 9 =	
29.	800 + 50 =	
30.	50 + 800 =	
31.	2 + 80 + 400 =	
32.	2 + 400 + 80 =	
33.	3 + 70 + 500 =	
34.	60 + 3 + 800 =	
35.	900 + 7 + 20 =	
36.	4 + 300 =	
37.	500 + 90 + 10 =	
38.	600 + 80 + 20 =	
39.	900 + 60 + 40 =	
40.	600 + 8 + 2 =	
41.	800 + 6 + 5 =	
42.	800 + 27 + 5 =	
43.	8 + 100 + 49 =	
44.	37 + 600 + 8 =	

Lección 10:   Explorar $1,000. ¿Cuántos billetes de $10 podemos cambiar por un billete de mil dólares?

© 2019 Great Minds®. eureka-math.org

59

EUREKA MATH®

A

Respuestas correctas: _____

Suma y resta hasta 10.

1.	2 + 1 =	
2.	1 + 2 =	
3.	3 - 1 =	
4.	3 - 2 =	
5.	4 + 1 =	
6.	1 + 4 =	
7.	5 - 1 =	
8.	5 - 4 =	
9.	8 + 1 =	
10.	1 + 8 =	
11.	9 - 1 =	
12.	9 - 8 =	
13.	3 + 2 =	
14.	2 + 3 =	
15.	5 - 2 =	
16.	5 - 3 =	
17.	5 + 2 =	
18.	2 + 5 =	
19.	7 - 2 =	
20.	7 - 5 =	
21.	6 + 2 =	
22.	2 + 6 =	

23.	8 - 2 =	
24.	8 - 6 =	
25.	8 + 2 =	
26.	2 + 8 =	
27.	10 - 2 =	
28.	10 - 8 =	
29.	4 + 3 =	
30.	3 + 4 =	
31.	7 - 3 =	
32.	7 - 4 =	
33.	5 + 3 =	
34.	3 + 5 =	
35.	8 - 3 =	
36.	8 - 5 =	
37.	6 + 3 =	
38.	3 + 6 =	
39.	9 - 3 =	
40.	9 - 6 =	
41.	5 + 4 =	
42.	4 + 5 =	
43.	9 - 5 =	
44.	9 - 4 =	

EUREKA MATH

Lección 11: Contar el valor total de las unidades, decenas y centenas con discos de valor posicional.

61

© 2019 Great Minds®. eureka-math.org

B

Respuestas correctas: _____

Mejora: _____

Suma y resta hasta 10.

1.	3 + 1 =	
2.	1 + 3 =	
3.	4 - 1 =	
4.	4 - 3 =	
5.	5 + 1 =	
6.	1 + 5 =	
7.	6 - 1 =	
8.	6 - 5 =	
9.	9 + 1 =	
10.	1 + 9 =	
11.	10 - 1 =	
12.	10 - 9 =	
13.	4 + 2 =	
14.	2 + 4 =	
15.	6 - 2 =	
16.	6 - 4 =	
17.	7 + 2 =	
18.	2 + 7 =	
19.	9 - 2 =	
20.	9 - 7 =	
21.	5 + 2 =	
22.	2 + 5 =	

23.	7 - 2 =	
24.	7 - 5 =	
25.	8 + 2 =	
26.	2 + 8 =	
27.	10 - 2 =	
28.	10 - 8 =	
29.	4 + 3 =	
30.	3 + 4 =	
31.	7 - 3 =	
32.	7 - 4 =	
33.	5 + 3 =	
34.	3 + 5 =	
35.	8 - 3 =	
36.	8 - 5 =	
37.	7 + 3 =	
38.	3 + 7 =	
39.	10 - 3 =	
40.	10 - 7 =	
41.	5 + 4 =	
42.	4 + 5 =	
43.	9 - 5 =	
44.	9 - 4 =	

EUREKA MATH®

Lección 11: Contar el valor total de las unidades, decenas y centenas con discos de valor posicional.

A

Respuestas correctas: _____

Sumas de 10 con números del 11 al 19.

1.	3 + 1 =	
2.	13 + 1 =	
3.	5 + 1 =	
4.	15 + 1 =	
5.	7 + 1 =	
6.	17 + 1 =	
7.	4 + 2 =	
8.	14 + 2 =	
9.	6 + 2 =	
10.	16 + 2 =	
11.	8 + 2 =	
12.	18 + 2 =	
13.	4 + 3 =	
14.	14 + 3 =	
15.	6 + 3 =	
16.	16 + 3 =	
17.	5 + 5 =	
18.	15 + 5 =	
19.	7 + 3 =	
20.	17 + 3 =	
21.	6 + 4 =	
22.	16 + 4 =	

23.	4 + 5 =	
24.	14 + 5 =	
25.	2 + 5 =	
26.	12 + 5 =	
27.	5 + 4 =	
28.	15 + 4 =	
29.	3 + 4 =	
30.	13 + 4 =	
31.	3 + 6 =	
32.	13 + 6 =	
33.	7 + 1 =	
34.	17 + 1 =	
35.	8 + 1 =	
36.	18 + 1 =	
37.	4 + 3 =	
38.	14 + 3 =	
39.	4 + 1 =	
40.	14 + 1 =	
41.	5 + 3 =	
42.	15 + 3 =	
43.	4 + 4 =	
44.	14 + 4 =	

EUREKA MATH®

Lección 12: Cambiar 10 unidades por 1 decena, 10 decenas por 1 centena y 10 centenas por 1 millar.

© 2019 Great Minds®. eureka-math.org

65

B

Respuestas correctas: _____

Mejora: _____

Sumas de 10 con números del 11 al 19.

1.	2 + 1 =	
2.	12 + 1 =	
3.	4 + 1 =	
4.	14 + 1 =	
5.	6 + 1 =	
6.	16 + 1 =	
7.	3 + 2 =	
8.	13 + 2 =	
9.	5 + 2 =	
10.	15 + 2 =	
11.	7 + 2 =	
12.	17 + 2 =	
13.	5 + 3 =	
14.	15 + 3 =	
15.	7 + 3 =	
16.	17 + 3 =	
17.	6 + 3 =	
18.	16 + 3 =	
19.	5 + 4 =	
20.	15 + 4 =	
21.	1 + 9 =	
22.	11 + 9 =	

23.	9 + 1 =	
24.	19 + 1 =	
25.	5 + 1 =	
26.	15 + 1 =	
27.	5 + 3 =	
28.	15 + 3 =	
29.	6 + 2 =	
30.	16 + 2 =	
31.	3 + 6 =	
32.	13 + 6 =	
33.	7 + 2 =	
34.	17 + 2 =	
35.	1 + 8 =	
36.	11 + 8 =	
37.	3 + 5 =	
38.	13 + 5 =	
39.	4 + 2 =	
40.	14 + 2 =	
41.	5 + 4 =	
42.	15 + 4 =	
43.	1 + 6 =	
44.	11 + 6 =	

EUREKA MATH®

Lección 12: Cambiar 10 unidades por 1 decena, 10 decenas por 1 centena y 10 centenas por 1 millar.

67

© 2019 Great Minds®. eureka-math.org

A

Respuestas correctas: _____

Conteo de valor posicional hasta 100

1.	5 decenas	50
2.	6 decenas 2 unidades	62
3.	6 decenas 3 unidades	63
4.	6 decenas 8 unidades	68
5.	60 + 4 =	64
6.	4 + 60 =	64
7.	8 decenas	80
8.	9 decenas 4 unidades	94
9.	9 decenas 5 unidades	95
10.	9 decenas 8 unidades	98
11.	90 + 6 =	96
12.	6 + 90 =	96
13.	6 decenas	60
14.	7 decenas 6 unidades	76
15.	7 decenas 7 unidades	77
16.	7 decenas 3 unidades	73
17.	70 + 8 =	78
18.	8 + 70 =	78
19.	9 decenas	90
20.	8 decenas 1 unidad	81
21.	8 decenas 2 unidades	82
22.	8 decenas 7 unidades	87

23.	80 + 4 =	84
24.	4 + 80 =	84
25.	7 decenas	70
26.	5 decenas 8 unidades	58
27.	5 decenas 9 unidades	59
28.	5 decenas 2 unidades	52
29.	50 + 7 =	57
30.	7 + 50 =	57
31.	10 decenas	100
32.	7 decenas 4 unidades	74
33.	80 + 3 =	83
34.	7 + 90 =	97
35.	6 decenas + 10 =	70
36.	9 decenas 3 unidades	93
37.	70 + 2 =	72
38.	3 + 50 =	53
39.	60 + 2 decenas =	62
40.	8 decenas 6 unidades	86
41.	90 + 2 =	92
42.	5 + 60 =	65
43.	8 decenas 20 unidades	100
44.	30 + 7 decenas =	37

Lección 13:   Leer y escribir números hasta 1,000 después de representarlos con discos de valor posicional.

69

© 2019 Great Minds®. eureka-math.org

B

Respuestas correctas: _____

Mejora: _____

Conteo de valor posicional hasta 100

1.	6 decenas	
2.	5 decenas 2 unidades	
3.	5 decenas 3 unidades	
4.	5 decenas 8 unidades	
5.	4 + 60 =	
6.	50 + 4 =	
7.	4 + 50 =	
8.	8 decenas 4 unidades	
9.	8 decenas 5 unidades	
10.	8 decenas 8 unidades	
11.	80 + 6 =	
12.	6 + 80 =	
13.	7 decenas	
14.	9 decenas 6 unidades	
15.	9 decenas 7 unidades	
16.	9 decenas 3 unidades	
17.	90 + 8 =	
18.	8 + 90 =	
19.	5 decenas	
20.	6 decenas 1 unidad	
21.	6 decenas 2 unidades	
22.	6 decenas 7 unidades	

23.	60 + 4 =	
24.	4 + 60 =	
25.	8 decenas	
26.	7 decenas 8 unidades	
27.	7 decenas 9 unidades	
28.	7 decenas 2 unidades	
29.	70 + 5 =	
30.	5 + 70 =	
31.	10 decenas	
32.	5 decenas 6 unidades	
33.	60 + 3 =	
34.	6 + 70 =	
35.	5 decenas + 10 =	
36.	7 decenas 4 unidades	
37.	80 + 3 =	
38.	2 + 90 =	
39.	70 + 2 decenas	
40.	6 decenas 8 unidades	
41.	70 + 3 =	
42.	7 + 80 =	
43.	9 decenas 10 unidades	
44.	40 + 6 decenas =	

Lección 13:   Leer y escribir números hasta 1,000 después de representarlos con discos de valor posicional.

© 2019 Great Minds®. eureka-math.org

71

A

Respuestas correctas: _____

Revisión de resta con números del 11 al 19.

1.	3 - 1 =	
2.	13 - 1 =	
3.	5 - 1 =	
4.	15 - 1 =	
5.	7 - 1 =	
6.	17 - 1 =	
7.	4 - 2 =	
8.	14 - 2 =	
9.	6 - 2 =	
10.	16 - 2 =	
11.	8 - 2 =	
12.	18 - 2 =	
13.	4 - 3 =	
14.	14 - 3 =	
15.	6 - 3 =	
16.	16 - 3 =	
17.	8 - 3 =	
18.	18 - 3 =	
19.	6 - 4 =	
20.	16 - 4 =	
21.	8 - 4 =	
22.	18 - 4 =	

23.	7 - 4 =	
24.	17 - 4 =	
25.	7 - 5 =	
26.	17 - 5 =	
27.	9 - 5 =	
28.	19 - 5 =	
29.	7 - 6 =	
30.	17 - 6 =	
31.	9 - 6 =	
32.	19 - 6 =	
33.	8 - 7 =	
34.	18 - 7 =	
35.	9 - 8 =	
36.	19 - 8 =	
37.	7 - 3 =	
38.	17 - 3 =	
39.	5 - 4 =	
40.	15 - 4 =	
41.	8 - 5 =	
42.	18 - 5 =	
43.	8 - 6 =	
44.	18 - 6 =	

EUREKA MATH®

Lección 14: Representar números con más de 9 unidades o 9 decenas; escribirlos en forma expandida, de unidades, estándar y escrita.

73

B

Respuestas correctas: _____

Mejora: _____

Revisión de resta con números del 11 al 19.

1.	2 - 1 =	
2.	12 - 1 =	
3.	4 - 1 =	
4.	14 - 1 =	
5.	6 - 1 =	
6.	16 - 1 =	
7.	3 - 2 =	
8.	13 - 2 =	
9.	5 - 2 =	
10.	15 - 2 =	
11.	7 - 2 =	
12.	17 - 2 =	
13.	5 - 3 =	
14.	15 - 3 =	
15.	7 - 3 =	
16.	17 - 3 =	
17.	9 - 3 =	
18.	19 - 3 =	
19.	5 - 4 =	
20.	15 - 4 =	
21.	7 - 4 =	
22.	17 - 4 =	

23.	9 - 4 =	
24.	19 - 4 =	
25.	6 - 5 =	
26.	16 - 5 =	
27.	8 - 5 =	
28.	18 - 5 =	
29.	8 - 6 =	
30.	18 - 6 =	
31.	9 - 6 =	
32.	19 - 6 =	
33.	9 - 7 =	
34.	19 - 7 =	
35.	9 - 8 =	
36.	19 - 8 =	
37.	8 - 3 =	
38.	18 - 3 =	
39.	6 - 4 =	
40.	16 - 4 =	
41.	9 - 5 =	
42.	19 - 5 =	
43.	7 - 6 =	
44.	17 - 6 =	

EUREKA MATH®

Lección 14: Representar números con más de 9 unidades o 9 decenas; escribirlos en forma expandida, de unidades, estándar y escrita.

© 2019 Great Minds®. eureka-math.org

75

A

Respuestas correctas: _____

Notación expandida

1.	20 + 1 =	21
2.	20 + 2 =	22
3.	20 + 3 =	23
4.	20 + 9 =	29
5.	30 + 9 =	39
6.	40 + 9 =	49
7.	80 + 9 =	89
8.	40 + 4 =	44
9.	50 + 5 =	55
10.	10 + 7 =	17
11.	20 + 5 =	25
12.	200 + 30 =	230
13.	300 + 40 =	
14.	400 + 50 =	
15.	500 + 60 =	
16.	600 + 70 =	
17.	700 + 80 =	
18.	200 + 30 + 5 =	
19.	300 + 40 + 5 =	
20.	400 + 50 + 6 =	
21.	500 + 60 + 7 =	
22.	600 + 70 + 8 =	

23.	400 + 20 + 5 =	
24.	200 + 60 + 1 =	
25.	200 + 1 =	
26.	300 + 1 =	
27.	400 + 1 =	
28.	500 + 1 =	
29.	700 + 1 =	
30.	300 + 50 + 2 =	
31.	300 + 2 =	
32.	100 + 10 + 7 =	
33.	100 + 7 =	
34.	700 + 10 + 5 =	
35.	700 + 5 =	
36.	300 + 40 + 7 =	
37.	300 + 7 =	
38.	500 + 30 + 2 =	
39.	500 + 2 =	
40.	2 + 500 =	
41.	2 + 600 =	
42.	2 + 40 + 600 =	
43.	3 + 10 + 700 =	
44.	8 + 30 + 700 =	

A

Respuestas correctas: _____

Suma—Cruzando diez

1.	9 + 1 =		23.	7 + 3 =	
2.	9 + 2 =		24.	7 + 4 =	
3.	9 + 3 =		25.	7 + 5 =	
4.	9 + 9 =		26.	7 + 9 =	
5.	8 + 2 =		27.	6 + 4 =	
6.	8 + 3 =		28.	6 + 5 =	
7.	8 + 4 =		29.	6 + 6 =	
8.	8 + 9 =		30.	6 + 9 =	
9.	9 + 1 =		31.	5 + 5 =	
10.	9 + 4 =		32.	5 + 6 =	
11.	9 + 5 =		33.	5 + 7 =	
12.	9 + 8 =		34.	5 + 9 =	
13.	8 + 2 =		35.	4 + 6 =	
14.	8 + 5 =		36.	4 + 7 =	
15.	8 + 6 =		37.	4 + 9 =	
16.	8 + 8 =		38.	3 + 7 =	
17.	9 + 1 =		39.	3 + 9 =	
18.	9 + 7 =		40.	5 + 8 =	
19.	8 + 2 =		41.	2 + 8 =	
20.	8 + 7 =		42.	4 + 8 =	
21.	9 + 1 =		43.	1 + 9 =	
22.	9 + 6 =		44.	2 + 9 =	

EUREKA MATH®

Lección 16:   Comparar dos números de tres dígitos usando <, > e =.

81

© 2019 Great Minds®. eureka-math.org

B

Suma—Cruzando diez

1.	8 + 2 =	
2.	8 + 3 =	
3.	8 + 4 =	
4.	8 + 8 =	
5.	9 + 1 =	
6.	9 + 2 =	
7.	9 + 3 =	
8.	9 + 8 =	
9.	8 + 2 =	
10.	8 + 5 =	
11.	8 + 6 =	
12.	8 + 9 =	
13.	9 + 1 =	
14.	9 + 4 =	
15.	9 + 5 =	
16.	9 + 9 =	
17.	9 + 1 =	
18.	9 + 7 =	
19.	8 + 2 =	
20.	8 + 7 =	
21.	9 + 1 =	
22.	9 + 6 =	

23.	7 + 3 =	
24.	7 + 4 =	
25.	7 + 5 =	
26.	7 + 8 =	
27.	6 + 4 =	
28.	6 + 5 =	
29.	6 + 6 =	
30.	6 + 8 =	
31.	5 + 5 =	
32.	5 + 6 =	
33.	5 + 7 =	
34.	5 + 8 =	
35.	4 + 6 =	
36.	4 + 7 =	
37.	4 + 8 =	
38.	3 + 7 =	
39.	3 + 9 =	
40.	5 + 9 =	
41.	2 + 8 =	
42.	4 + 9 =	
43.	1 + 9 =	
44.	2 + 9 =	

A

Respuestas correctas: _____

Suma—Cruzando diez.

1.	9 + 2 =	
2.	9 + 3 =	
3.	9 + 4 =	
4.	9 + 7 =	
5.	7 + 9 =	
6.	10 + 1 =	
7.	10 + 2 =	
8.	10 + 3 =	
9.	10 + 8 =	
10.	8 + 10 =	
11.	8 + 3 =	
12.	8 + 4 =	
13.	8 + 5 =	
14.	8 + 9 =	
15.	9 + 8 =	
16.	7 + 4 =	
17.	10 + 5 =	
18.	6 + 5 =	
19.	7 + 5 =	
20.	9 + 5 =	
21.	5 + 9 =	
22.	10 + 6 =	

23.	4 + 7 =	
24.	4 + 8 =	
25.	5 + 6 =	
26.	5 + 7 =	
27.	3 + 8 =	
28.	3 + 9 =	
29.	2 + 9 =	
30.	5 + 10 =	
31.	5 + 8 =	
32.	9 + 6 =	
33.	6 + 9 =	
34.	7 + 6 =	
35.	6 + 7 =	
36.	8 + 6 =	
37.	6 + 8 =	
38.	8 + 7 =	
39.	7 + 8 =	
40.	6 + 6 =	
41.	7 + 7 =	
42.	8 + 8 =	
43.	9 + 9 =	
44.	4 + 9 =	

EUREKA MATH®

Lección 17:   Comparar dos números de tres dígitos usando <, > e = cuando hay más de 9 unidades o 9 decenas.

85

B

Respuestas correctas: _____

Mejora: _____

Suma—Cruzando diez.

1.	10 + 1 =	
2.	10 + 2 =	
3.	10 + 3 =	
4.	10 + 9 =	
5.	9 + 10 =	
6.	9 + 2 =	
7.	9 + 3 =	
8.	9 + 4 =	
9.	9 + 8 =	
10.	8 + 9 =	
11.	8 + 3 =	
12.	8 + 4 =	
13.	8 + 5 =	
14.	8 + 7 =	
15.	7 + 8 =	
16.	7 + 4 =	
17.	10 + 4 =	
18.	6 + 5 =	
19.	7 + 5 =	
20.	9 + 5 =	
21.	5 + 9 =	
22.	10 + 8 =	

23.	5 + 6 =	
24.	5 + 7 =	
25.	4 + 7 =	
26.	4 + 8 =	
27.	4 + 10 =	
28.	3 + 8 =	
29.	3 + 9 =	
30.	2 + 9 =	
31.	5 + 8 =	
32.	7 + 6 =	
33.	6 + 7 =	
34.	8 + 6 =	
35.	6 + 8 =	
36.	9 + 6 =	
37.	6 + 9 =	
38.	9 + 7 =	
39.	7 + 9 =	
40.	6 + 6 =	
41.	7 + 7 =	
42.	8 + 8 =	
43.	9 + 9 =	
44.	4 + 9 =	

EUREKA MATH

Lección 17: Comparar dos números de tres dígitos usando <, > e = cuando hay más de 9 unidades o 9 decenas.

© 2019 Great Minds®. eureka-math.org

87

A

Respuestas correctas: _____

Suma—Cruzando diez

1.	9 + 2 =		23.	4 + 7 =	
2.	9 + 3 =		24.	4 + 8 =	
3.	9 + 4 =		25.	5 + 6 =	
4.	9 + 7 =		26.	5 + 7 =	
5.	7 + 9 =		27.	3 + 8 =	
6.	10 + 1 =		28.	3 + 9 =	
7.	10 + 2 =		29.	2 + 9 =	
8.	10 + 3 =		30.	5 + 10 =	
9.	10 + 8 =		31.	5 + 8 =	
10.	8 + 10 =		32.	9 + 6 =	
11.	8 + 3 =		33.	6 + 9 =	
12.	8 + 4 =		34.	7 + 6 =	
13.	8 + 5 =		35.	6 + 7 =	
14.	8 + 9 =		36.	8 + 6 =	
15.	9 + 8 =		37.	6 + 8 =	
16.	7 + 4 =		38.	8 + 7 =	
17.	10 + 5 =		39.	7 + 8 =	
18.	6 + 5 =		40.	6 + 6 =	
19.	7 + 5 =		41.	7 + 7 =	
20.	9 + 5 =		42.	8 + 8 =	
21.	5 + 9 =		43.	9 + 9 =	
22.	10 + 6 =		44.	4 + 9 =	

Lección 18:   Ordenar números en formas diferentes. (Opcional)

89

EUREKA MATH®

B

Respuestas correctas: _____

Mejora: _____

Suma—Cruzando diez

1.	10 + 1 =		23.	5 + 6 =	
2.	10 + 2 =		24.	5 + 7 =	
3.	10 + 3 =		25.	4 + 7 =	
4.	10 + 9 =		26.	4 + 8 =	
5.	9 + 10 =		27.	4 + 10 =	
6.	9 + 2 =		28.	3 + 8 =	
7.	9 + 3 =		29.	3 + 9 =	
8.	9 + 4 =		30.	2 + 9 =	
9.	9 + 8 =		31.	5 + 8 =	
10.	8 + 9 =		32.	7 + 6 =	
11.	8 + 3 =		33.	6 + 7 =	
12.	8 + 4 =		34.	8 + 6 =	
13.	8 + 5 =		35.	6 + 8 =	
14.	8 + 7 =		36.	9 + 6 =	
15.	7 + 8 =		37.	6 + 9 =	
16.	7 + 4 =		38.	9 + 7 =	
17.	10 + 4 =		39.	7 + 9 =	
18.	6 + 5 =		40.	6 + 6 =	
19.	7 + 5 =		41.	7 + 7 =	
20.	9 + 5 =		42.	8 + 8 =	
21.	5 + 9 =		43.	9 + 9 =	
22.	10 + 8 =		44.	4 + 9 =	

EUREKA MATH®

A

Respuestas correctas: _____

Restas

1.	3 - 1 =	
2.	13 - 1 =	
3.	5 - 1 =	
4.	15 - 1 =	
5.	7 - 1 =	
6.	17 - 1 =	
7.	4 - 2 =	
8.	14 - 2 =	
9.	6 - 2 =	
10.	16 - 2 =	
11.	8 - 2 =	
12.	18 - 2 =	
13.	4 - 3 =	
14.	14 - 3 =	
15.	6 - 3 =	
16.	16 - 3 =	
17.	8 - 3 =	
18.	18 - 3 =	
19.	6 - 4 =	
20.	16 - 4 =	
21.	8 - 4 =	
22.	18 - 4 =	

23.	7 - 4 =	
24.	17 - 4 =	
25.	7 - 5 =	
26.	17 - 5 =	
27.	9 - 5 =	
28.	19 - 5 =	
29.	7 - 6 =	
30.	17 - 6 =	
31.	9 - 6 =	
32.	19 - 6 =	
33.	8 - 7 =	
34.	18 - 7 =	
35.	9 - 8 =	
36.	19 - 8 =	
37.	7 - 3 =	
38.	17 - 3 =	
39.	5 - 4 =	
40.	15 - 4 =	
41.	8 - 5 =	
42.	18 - 5 =	
43.	8 - 6 =	
44.	18 - 6 =	

Lección 19:   Representar y usar el lenguaje para contar 1 más y 1 menos, 10 más y 10 menos y 100 más y 100 menos.

© 2019 Great Minds®. eureka-math.org

93

B

Respuestas correctas: _____

Mejora: _____

Restas

1.	2 - 1 =	
2.	12 - 1 =	
3.	4 - 1 =	
4.	14 - 1 =	
5.	6 - 1 =	
6.	16 - 1 =	
7.	3 - 2 =	
8.	13 - 2 =	
9.	5 - 2 =	
10.	15 - 2 =	
11.	7 - 2 =	
12.	17 - 2 =	
13.	5 - 3 =	
14.	15 - 3 =	
15.	7 - 3 =	
16.	17 - 3 =	
17.	9 - 3 =	
18.	19 - 3 =	
19.	5 - 4 =	
20.	15 - 4 =	
21.	7 - 4 =	
22.	17 - 4 =	

23.	9 - 4 =	
24.	19 - 4 =	
25.	6 - 5 =	
26.	16 - 5 =	
27.	8 - 5 =	
28.	18 - 5 =	
29.	8 - 6 =	
30.	18 - 6 =	
31.	9 - 6 =	
32.	19 - 6 =	
33.	9 - 7 =	
34.	19 - 7 =	
35.	9 - 8 =	
36.	19 - 8 =	
37.	8 - 3 =	
38.	18 - 3 =	
39.	6 - 4 =	
40.	16 - 4 =	
41.	9 - 5 =	
42.	19 - 5 =	
43.	7 - 6 =	
44.	17 - 6 =	

EUREKA MATH®

Lección 19: Representar y usar el lenguaje para contar 1 más y 1 menos, 10 más y 10 menos y 100 más y 100 menos.

95

© 2019 Great Minds®. eureka-math.org

A

Respuestas correctas: _____

Restas

1.	3 - 1 =	
2.	13 - 1 =	
3.	5 - 1 =	
4.	15 - 1 =	
5.	7 - 1 =	
6.	17 - 1 =	
7.	4 - 2 =	
8.	14 - 2 =	
9.	6 - 2 =	
10.	16 - 2 =	
11.	8 - 2 =	
12.	18 - 2 =	
13.	4 - 3 =	
14.	14 - 3 =	
15.	6 - 3 =	
16.	16 - 3 =	
17.	8 - 3 =	
18.	18 - 3 =	
19.	6 - 4 =	
20.	16 - 4 =	
21.	8 - 4 =	
22.	18 - 4 =	

23.	7 - 4 =	
24.	17 - 4 =	
25.	7 - 5 =	
26.	17 - 5 =	
27.	9 - 5 =	
28.	19 - 5 =	
29.	7 - 6 =	
30.	17 - 6 =	
31.	9 - 6 =	
32.	19 - 6 =	
33.	8 - 7 =	
34.	18 - 7 =	
35.	9 - 8 =	
36.	19 - 8 =	
37.	7 - 3 =	
38.	17 - 3 =	
39.	5 - 4 =	
40.	15 - 4 =	
41.	8 - 5 =	
42.	18 - 5 =	
43.	8 - 6 =	
44.	18 - 6 =	

Lección 20:   Representar 1 más y 1 menos, 10 más y 10 menos y 100 más y 100 menos al cambiar la posición de las centenas.

B

Respuestas correctas: _____

Mejora: _____

Restas:

1.	2 - 1 =		23.	9 - 4 =	
2.	12 - 1 =		24.	19 - 4 =	
3.	4 - 1 =		25.	6 - 5 =	
4.	14 - 1 =		26.	16 - 5 =	
5.	6 - 1 =		27.	8 - 5 =	
6.	16 - 1 =		28.	18 - 5 =	
7.	3 - 2 =		29.	8 - 6 =	
8.	13 - 2 =		30.	18 - 6 =	
9.	5 - 2 =		31.	9 - 6 =	
10.	15 - 2 =		32.	19 - 6 =	
11.	7 - 2 =		33.	9 - 7 =	
12.	17 - 2 =		34.	19 - 7 =	
13.	5 - 3 =		35.	9 - 8 =	
14.	15 - 3 =		36.	19 - 8 =	
15.	7 - 3 =		37.	8 - 3 =	
16.	17 - 3 =		38.	18 - 3 =	
17.	9 - 3 =		39.	6 - 4 =	
18.	19 - 3 =		40.	16 - 4 =	
19.	5 - 4 =		41.	9 - 5 =	
20.	15 - 4 =		42.	19 - 5 =	
21.	7 - 4 =		43.	7 - 6 =	
22.	17 - 4 =		44.	17 - 6 =	

EUREKA MATH®

Lección 20: Representar 1 más y 1 menos, 10 más y 10 menos y 100 más y 100 menos al cambiar la posición de las centenas.

99

© 2019 Great Minds®. eureka-math.org

A

Respuestas correctas: _____

Restas

1.	10 - 5 =		23.	11 - 3 =	
2.	10 - 0 =		24.	10 - 9 =	
3.	10 - 1 =		25.	11 - 9 =	
4.	10 - 9 =		26.	10 - 5 =	
5.	10 - 8 =		27.	11 - 5 =	
6.	10 - 2 =		28.	10 - 7 =	
7.	10 - 3 =		29.	11 - 7 =	
8.	10 - 7 =		30.	10 - 8 =	
9.	10 - 6 =		31.	11 - 8 =	
10.	10 - 4 =		32.	10 - 6 =	
11.	10 - 8 =		33.	11 - 6 =	
12.	10 - 3 =		34.	10 - 4 =	
13.	10 - 6 =		35.	11 - 4 =	
14.	10 - 9 =		36.	10 - 9 =	
15.	10 - 0 =		37.	12 - 9 =	
16.	10 - 5 =		38.	10 - 5 =	
17.	10 - 7 =		39.	12 - 5 =	
18.	10 - 2 =		40.	10 - 7 =	
19.	10 - 4 =		41.	12 - 7 =	
20.	10 - 1 =		42.	10 - 8 =	
21.	11 - 1 =		43.	12 - 8 =	
22.	11 - 2 =		44.	15 - 9 =	

Lección 21:   Completar un patrón contando hacia arriba y abajo.   101

B

Respuestas correctas: _____

Mejora: _____

Restas

1.	10 - 0 =		23.	11 - 3 =	
2.	10 - 5 =		24.	10 - 5 =	
3.	10 - 9 =		25.	11 - 5 =	
4.	10 - 1 =		26.	10 - 9 =	
5.	10 - 2 =		27.	11 - 9 =	
6.	10 - 8 =		28.	10 - 8 =	
7.	10 - 7 =		29.	11 - 8 =	
8.	10 - 3 =		30.	10 - 7 =	
9.	10 - 4 =		31.	11 - 7 =	
10.	10 - 6 =		32.	10 - 4 =	
11.	10 - 2 =		33.	11 - 4 =	
12.	10 - 7 =		34.	10 - 6 =	
13.	10 - 4 =		35.	11 - 6 =	
14.	10 - 1 =		36.	10 - 5 =	
15.	10 - 0 =		37.	12 - 5 =	
16.	10 - 5 =		38.	10 - 9 =	
17.	10 - 3 =		39.	12 - 9 =	
18.	10 - 8 =		40.	10 - 8 =	
19.	10 - 6 =		41.	12 - 8 =	
20.	10 - 9 =		42.	10 - 7 =	
21.	11 - 1 =		43.	12 - 7 =	
22.	11 - 2 =		44.	14 - 9 =	

2.° grado

Módulo 4

A

Respuestas correctas: _____

Suma y resta de unidades y decenas.

1.	3 + 1 =	
2.	30 + 10 =	
3.	31 + 10 =	
4.	31 + 1 =	
5.	3 – 1 =	
6.	30 – 10 =	
7.	35 – 10 =	
8.	35 – 1 =	
9.	47 + 10 =	
10.	10 – 1 =	
11.	80 – 1 =	
12.	40 + 20 =	
13.	43 + 20 =	
14.	43 + 2 =	
15.	40 – 20 =	
16.	45 – 20 =	
17.	45 – 2 =	
18.	57 + 2 =	
19.	57 – 20 =	
20.	10 – 2 =	
21.	50 – 2 =	
22.	51 – 2 =	

23.	50 + 30 =	
24.	54 + 30 =	
25.	54 + 3 =	
26.	50 – 30 =	
27.	59 – 30 =	
28.	59 – 3 =	
29.	67 + 30 =	
30.	67 – 30 =	
31.	67 – 3 =	
32.	40 – 3 =	
33.	42 – 3 =	
34.	30 + 40 =	
35.	32 + 40 =	
36.	32 + 4 =	
37.	70 – 40 =	
38.	76 – 40 =	
39.	76 – 4 =	
40.	53 + 40 =	
41.	53 + 4 =	
42.	53 – 40 =	
43.	90 – 4 =	
44.	92 – 4 =	

Lección 3:   Sumar y restar múltiplos de 10 y algunas unidades hasta 100.

B

Respuestas correctas: _____

Suma y resta de unidades y decenas.

Mejora: _____

1.	2 + 1 =		23.	40 + 30 =	
2.	20 + 10 =		24.	45 + 30 =	
3.	21 + 10 =		25.	45 + 3 =	
4.	21 + 1 =		26.	40 – 30 =	
5.	2 – 1 =		27.	49 – 30 =	
6.	20 – 10 =		28.	49 – 3 =	
7.	25 – 10 =		29.	57 + 30 =	
8.	25 – 1 =		30.	57 – 30 =	
9.	37 + 10 =		31.	57 – 3 =	
10.	10 – 1 =		32.	50 – 3 =	
11.	70 – 1 =		33.	52 – 3 =	
12.	50 + 20 =		34.	20 + 40 =	
13.	53 + 20 =		35.	23 + 40 =	
14.	53 + 2 =		36.	23 + 4 =	
15.	50 – 20 =		37.	80 – 40 =	
16.	54 – 20 =		38.	86 – 40 =	
17.	54 – 2 =		39.	86 – 4 =	
18.	64 + 2 =		40.	43 + 40 =	
19.	64 – 20 =		41.	43 + 4 =	
20.	10 – 2 =		42.	63 – 40 =	
21.	60 – 2 =		43.	80 – 4 =	
22.	61 – 2 =		44.	82 – 4 =	

A

Respuestas correctas: _____

Sumar números menores de 10

1.	9 + 1 =		23.	7 + 3 =	
2.	9 + 2 =		24.	7 + 4 =	
3.	9 + 3 =		25.	7 + 5 =	
4.	9 + 9 =		26.	7 + 9 =	
5.	8 + 2 =		27.	6 + 4 =	
6.	8 + 3 =		28.	6 + 5 =	
7.	8 + 4 =		29.	6 + 6 =	
8.	8 + 9 =		30.	6 + 9 =	
9.	9 + 1 =		31.	5 + 5 =	
10.	9 + 4 =		32.	5 + 6 =	
11.	9 + 5 =		33.	5 + 7 =	
12.	9 + 8 =		34.	5 + 9 =	
13.	8 + 2 =		35.	4 + 6 =	
14.	8 + 5 =		36.	4 + 7 =	
15.	8 + 6 =		37.	4 + 9 =	
16.	8 + 8 =		38.	3 + 7 =	
17.	9 + 1 =		39.	3 + 9 =	
18.	9 + 7 =		40.	5 + 8 =	
19.	8 + 2 =		41.	2 + 8 =	
20.	8 + 7 =		42.	4 + 8 =	
21.	9 + 1 =		43.	1 + 9 =	
22.	9 + 6 =		44.	2 + 9 =	

EUREKA MATH®

Lección 9: Usar dibujos matemáticos para representar la composición cuando se suma un sumando de dos dígitos a un sumando de tres dígitos.

111

© 2019 Great Minds®. eureka-math.org

B

Respuestas correctas: _____

Mejora: _____

Sumar números menores de 10

1.	8 + 2 =	
2.	8 + 3 =	
3.	8 + 4 =	
4.	8 + 8 =	
5.	9 + 1 =	
6.	9 + 2 =	
7.	9 + 3 =	
8.	9 + 8 =	
9.	8 + 2 =	
10.	8 + 5 =	
11.	8 + 6 =	
12.	8 + 9 =	
13.	9 + 1 =	
14.	9 + 4 =	
15.	9 + 5 =	
16.	9 + 9 =	
17.	9 + 1 =	
18.	9 + 7 =	
19.	8 + 2 =	
20.	8 + 7 =	
21.	9 + 1 =	
22.	9 + 6 =	

23.	7 + 3 =	
24.	7 + 4 =	
25.	7 + 5 =	
26.	7 + 8 =	
27.	6 + 4 =	
28.	6 + 5 =	
29.	6 + 6 =	
30.	6 + 8 =	
31.	5 + 5 =	
32.	5 + 6 =	
33.	5 + 7 =	
34.	5 + 8 =	
35.	4 + 6 =	
36.	4 + 7 =	
37.	4 + 8 =	
38.	3 + 7 =	
39.	3 + 9 =	
40.	5 + 9 =	
41.	2 + 8 =	
42.	4 + 9 =	
43.	1 + 9 =	
44.	2 + 9 =	

Lección 9:   Usar dibujos matemáticos para representar la composición cuando se
                 suma un sumando de dos dígitos a un sumando de tres dígitos.

A

Respuestas correctas: _____

Resta de números del 11 al 19

1.	11 – 10 =	
2.	12 – 10 =	
3.	13 – 10 =	
4.	19 – 10 =	
5.	11 – 1 =	
6.	12 – 2 =	
7.	13 – 3 =	
8.	17 – 7 =	
9.	11 – 2 =	
10.	11 – 3 =	
11.	11 – 4 =	
12.	11 – 8 =	
13.	18 – 8 =	
14.	13 – 4 =	
15.	13 – 5 =	
16.	13 – 6 =	
17.	13 – 8 =	
18.	16 – 6 =	
19.	12 – 3 =	
20.	12 – 4 =	
21.	12 – 5 =	
22.	12 – 9 =	

23.	19 – 9 =	
24.	15 – 6 =	
25.	15 – 7 =	
26.	15 – 9 =	
27.	20 – 10 =	
28.	14 – 5 =	
29.	14 – 6 =	
30.	14 – 7 =	
31.	14 – 9 =	
32.	15 – 5 =	
33.	17 – 8 =	
34.	17 – 9 =	
35.	18 – 8 =	
36.	16 – 7 =	
37.	16 – 8 =	
38.	16 – 9 =	
39.	17 – 10 =	
40.	12 – 8 =	
41.	18 – 9 =	
42.	11 – 9 =	
43.	15 – 8 =	
44.	13 – 7 =	

EUREKA MATH®

Lección 10: Usar dibujos matemáticos para representar la composición cuando se suma un sumando de dos dígitos a un sumando de tres dígitos.

B

Respuestas correctas: _____

Mejora: _____

Resta de números del 11 al 19

1.	11 – 1 =	
2.	12 – 2 =	
3.	13 – 3 =	
4.	18 – 8 =	
5.	11 – 10 =	
6.	12 – 10 =	
7.	13 – 10 =	
8.	18 – 10 =	
9.	11 – 2 =	
10.	11 – 3 =	
11.	11 – 4 =	
12.	11 – 7 =	
13.	19 – 9 =	
14.	12 – 3 =	
15.	12 – 4 =	
16.	12 – 5 =	
17.	12 – 8 =	
18.	17 – 7 =	
19.	13 – 4 =	
20.	13 – 5 =	
21.	13 – 6 =	
22.	13 – 9 =	

23.	16 – 6 =	
24.	14 – 5 =	
25.	14 – 6 =	
26.	14 – 7 =	
27.	14 – 9 =	
28.	20 – 10 =	
29.	15 – 6 =	
30.	15 – 7 =	
31.	15 – 9 =	
32.	14 – 4 =	
33.	16 – 7 =	
34.	16 – 8 =	
35.	16 – 9 =	
36.	20 – 10 =	
37.	17 – 8 =	
38.	17 – 9 =	
39.	16 – 10 =	
40.	18 – 9 =	
41.	12 – 9 =	
42.	13 – 7 =	
43.	11 – 8 =	
44.	15 – 8 =	

A

Respuestas correctas: _____

Patrones de resta

1.	10 – 5 =	
2.	20 – 5 =	
3.	30 – 5 =	
4.	10 – 2 =	
5.	20 – 2 =	
6.	30 – 2 =	
7.	11 – 2 =	
8.	21 – 2 =	
9.	31 – 2 =	
10.	10 – 8 =	
11.	11 – 8 =	
12.	21 – 8 =	
13.	31 – 8 =	
14.	14 – 5 =	
15.	24 – 5 =	
16.	34 – 5 =	
17.	15 – 6 =	
18.	25 – 6 =	
19.	35 – 6 =	
20.	10 – 7 =	
21.	20 – 8 =	
22.	30 – 9 =	

23.	14 – 6 =	
24.	24 – 6 =	
25.	34 – 6 =	
26.	15 – 7 =	
27.	25 – 7 =	
28.	35 – 7 =	
29.	11 – 4 =	
30.	21 – 4 =	
31.	31 – 4 =	
32.	12 – 6 =	
33.	22 – 6 =	
34.	32 – 6 =	
35.	21 – 6 =	
36.	31 – 6 =	
37.	12 – 8 =	
38.	32 – 8 =	
39.	21 – 8 =	
40.	31 – 8 =	
41.	28 – 9 =	
42.	27 – 8 =	
43.	38 – 9 =	
44.	37 – 8 =	

B

Patrones de resta

Respuestas correctas: _____

Mejora: _____

1.	10 – 1 =	
2.	20 – 1 =	
3.	30 – 1 =	
4.	10 – 3 =	
5.	20 – 3 =	
6.	30 – 3 =	
7.	12 – 3 =	
8.	22 – 3 =	
9.	32 – 3 =	
10.	10 – 9 =	
11.	11 – 9 =	
12.	21 – 9 =	
13.	31 – 9 =	
14.	13 – 4 =	
15.	23 – 4 =	
16.	33 – 4 =	
17.	16 – 7 =	
18.	26 – 7 =	
19.	36 – 7 =	
20.	10 – 6 =	
21.	20 – 7 =	
22.	30 – 8 =	

23.	13 – 5 =	
24.	23 – 5 =	
25.	33 – 5 =	
26.	16 – 8 =	
27.	26 – 8 =	
28.	36 – 8 =	
29.	12 – 5 =	
30.	22 – 5 =	
31.	32 – 5 =	
32.	11 – 5 =	
33.	21 – 5 =	
34.	31 – 5 =	
35.	12 – 7 =	
36.	22 – 7 =	
37.	11 – 7 =	
38.	31 – 7 =	
39.	22 – 9 =	
40.	32 – 9 =	
41.	38 – 9 =	
42.	37 – 8 =	
43.	28 – 9 =	
44.	27 – 8 =	

A

Respuestas correctas: _____

Resta de dos dígitos

1.	53 – 2 =	
2.	65 – 3 =	
3.	77 – 4 =	
4.	89 – 5 =	
5.	99 – 6 =	
6.	28 – 7 =	
7.	39 – 8 =	
8.	31 – 2 =	
9.	41 – 3 =	
10.	51 – 4 =	
11.	61 – 5 =	
12.	30 – 9 =	
13.	40 – 8 =	
14.	50 – 7 =	
15.	60 – 6 =	
16.	40 – 30 =	
17.	41 – 30 =	
18.	40 – 20 =	
19.	42 – 20 =	
20.	80 – 50 =	
21.	85 – 50 =	
22.	80 – 40 =	

23.	84 – 40 =	
24.	80 – 50 =	
25.	86 – 50 =	
26.	70 – 60 =	
27.	77 – 60 =	
28.	80 – 70 =	
29.	88 – 70 =	
30.	48 – 4 =	
31.	80 – 40 =	
32.	81 – 40 =	
33.	46 – 3 =	
34.	60 – 30 =	
35.	68 – 30 =	
36.	67 – 4 =	
37.	67 – 40 =	
38.	89 – 6 =	
39.	89 – 60 =	
40.	76 – 2 =	
41.	76 – 20 =	
42.	54 – 6 =	
43.	65 – 8 =	
44.	87 – 9 =	

Lección 15:   Representar la resta con y sin la descomposición cuando hay un minuendo de tres dígitos.

123

© 2019 Great Minds®. eureka-math.org

B

Resta de dos dígitos

Respuestas correctas: _____

Mejora: _____

1.	43 – 2 =		23.	94 – 50 =	
2.	55 – 3 =		24.	90 – 60 =	
3.	67 – 4 =		25.	96 – 60 =	
4.	79 – 5 =		26.	80 – 70 =	
5.	89 – 6 =		27.	87 – 70 =	
6.	98 – 7 =		28.	90 – 80 =	
7.	29 – 8 =		29.	98 – 80 =	
8.	21 – 2 =		30.	39 – 4 =	
9.	31 – 3 =		31.	90 – 40 =	
10.	41 – 4 =		32.	91 – 40 =	
11.	51 – 5 =		33.	47 – 3 =	
12.	20 – 9 =		34.	70 – 30 =	
13.	30 – 8 =		35.	78 – 30 =	
14.	40 – 7 =		36.	68 – 4 =	
15.	50 – 6 =		37.	68 – 40 =	
16.	30 – 20 =		38.	89 – 7 =	
17.	31 – 20 =		39.	89 – 70 =	
18.	50 – 30 =		40.	56 – 2 =	
19.	52 – 30 =		41.	56 – 20 =	
20.	70 – 40 =		42.	34 – 6 =	
21.	75 – 40 =		43.	45 – 8 =	
22.	90 – 50 =		44.	57 – 9 =	

Lección 15:   Representar la resta con y sin la descomposición cuando hay un
                minuendo de tres dígitos.

A

Respuestas correctas: _____

Suma cruzando una decena

1.	38 + 1 =	
2.	47 + 2 =	
3.	56 + 3 =	
4.	65 + 4 =	
5.	31 + 8 =	
6.	42 + 7 =	
7.	53 + 6 =	
8.	64 + 5 =	
9.	49 + 1 =	
10.	49 + 2 =	
11.	49 + 3 =	
12.	49 + 5 =	
13.	58 + 2 =	
14.	58 + 3 =	
15.	58 + 4 =	
16.	58 + 6 =	
17.	67 + 3 =	
18.	57 + 4 =	
19.	57 + 5 =	
20.	57 + 7 =	
21.	85 + 5 =	
22.	85 + 6 =	

23.	85 + 7 =	
24.	85 + 9 =	
25.	76 + 4 =	
26.	76 + 5 =	
27.	76 + 6 =	
28.	76 + 9 =	
29.	64 + 6 =	
30.	64 + 7 =	
31.	76 + 8 =	
32.	43 + 7 =	
33.	43 + 8 =	
34.	43 + 9 =	
35.	52 + 8 =	
36.	52 + 9 =	
37.	59 + 1 =	
38.	59 + 3 =	
39.	58 + 2 =	
40.	58 + 4 =	
41.	77 + 3 =	
42.	77 + 5 =	
43.	35 + 5 =	
44.	35 + 8 =	

B

Respuestas correctas: _____

Mejora: _____

Suma cruzando una decena

1.	28 + 1 =	
2.	37 + 2 =	
3.	46 + 3 =	
4.	55 + 4 =	
5.	21 + 8 =	
6.	32 + 7 =	
7.	43 + 6 =	
8.	54 + 5 =	
9.	39 + 1 =	
10.	39 + 2 =	
11.	39 + 3 =	
12.	39 + 5 =	
13.	48 + 2 =	
14.	48 + 3 =	
15.	48 + 4 =	
16.	48 + 6 =	
17.	57 + 3 =	
18.	57 + 4 =	
19.	57 + 5 =	
20.	57 + 7 =	
21.	75 + 5 =	
22.	75 + 6 =	

23.	75 + 7 =	
24.	75 + 9 =	
25.	66 + 4 =	
26.	66 + 5 =	
27.	66 + 6 =	
28.	66 + 9 =	
29.	54 + 6 =	
30.	54 + 7 =	
31.	54 + 8 =	
32.	33 + 7 =	
33.	33 + 8 =	
34.	33 + 9 =	
35.	42 + 8 =	
36.	42 + 9 =	
37.	49 + 1 =	
38.	49 + 3 =	
39.	58 + 2 =	
40.	58 + 4 =	
41.	67 + 3 =	
42.	67 + 5 =	
43.	85 + 5 =	
44.	85 + 8 =	

Lección 18: Usar materiales didácticos para representar sumas con dos composiciones.

129

A

Respuestas correctas: _____

Suma cruzando una decena

1.	38 + 1 =	
2.	47 + 2 =	
3.	56 + 3 =	
4.	65 + 4 =	
5.	31 + 8 =	
6.	42 + 7 =	
7.	53 + 6 =	
8.	64 + 5 =	
9.	49 + 1 =	
10.	49 + 2 =	
11.	49 + 3 =	
12.	49 + 5 =	
13.	58 + 2 =	
14.	58 + 3 =	
15.	58 + 4 =	
16.	58 + 6 =	
17.	67 + 3 =	
18.	57 + 4 =	
19.	57 + 5 =	
20.	57 + 7 =	
21.	85 + 5 =	
22.	85 + 6 =	

23.	85 + 7 =	
24.	85 + 9 =	
25.	76 + 4 =	
26.	76 + 5 =	
27.	76 + 6 =	
28.	76 + 9 =	
29.	64 + 6 =	
30.	64 + 7 =	
31.	76 + 8 =	
32.	43 + 7 =	
33.	43 + 8 =	
34.	43 + 9 =	
35.	52 + 8 =	
36.	52 + 9 =	
37.	59 + 1 =	
38.	59 + 3 =	
39.	58 + 2 =	
40.	58 + 4 =	
41.	77 + 3 =	
42.	77 + 5 =	
43.	35 + 5 =	
44.	35 + 8 =	

Lección 20: Usar dibujos matemáticos para representar sumas con hasta dos composiciones y relacionar los dibujos a un método escrito.

B

Respuestas correctas: _____

Mejora: _____

Suma cruzando una decena

1.	28 + 1 =	
2.	37 + 2 =	
3.	46 + 3 =	
4.	55 + 4 =	
5.	21 + 8 =	
6.	32 + 7 =	
7.	43 + 6 =	
8.	54 + 5 =	
9.	39 + 1 =	
10.	39 + 2 =	
11.	39 + 3 =	
12.	39 + 5 =	
13.	48 + 2 =	
14.	48 + 3 =	
15.	48 + 4 =	
16.	48 + 6 =	
17.	57 + 3 =	
18.	57 + 4 =	
19.	57 + 5 =	
20.	57 + 7 =	
21.	75 + 5 =	
22.	75 + 6 =	

23.	75 + 7 =	
24.	75 + 9 =	
25.	66 + 4 =	
26.	66 + 5 =	
27.	66 + 6 =	
28.	66 + 9 =	
29.	54 + 6 =	
30.	54 + 7 =	
31.	54 + 8 =	
32.	33 + 7 =	
33.	33 + 8 =	
34.	33 + 9 =	
35.	42 + 8 =	
36.	42 + 9 =	
37.	49 + 1 =	
38.	49 + 3 =	
39.	58 + 2 =	
40.	58 + 4 =	
41.	67 + 3 =	
42.	67 + 5 =	
43.	85 + 5 =	
44.	85 + 8 =	

Lección 20:   Usar dibujos matemáticos para representar sumas con hasta dos composiciones
y relacionar los dibujos a un método escrito.   133

© 2019 Great Minds®. eureka-math.org

A

Respuestas correctas: _____

Patrones de resta

1.	10 – 1 =	
2.	10 – 2 =	
3.	20 – 2 =	
4.	40 – 2 =	
5.	10 – 2 =	
6.	11 – 2 =	
7.	21 – 2 =	
8.	51 – 2 =	
9.	10 – 3 =	
10.	11 – 3 =	
11.	21 – 3 =	
12.	61 – 3 =	
13.	10 – 4 =	
14.	11 – 4 =	
15.	21 – 4 =	
16.	71 – 4 =	
17.	10 – 5 =	
18.	11 – 5 =	
19.	21 – 5 =	
20.	81 – 5 =	
21.	10 – 6 =	
22.	11 – 6 =	

23.	21 – 6 =	
24.	91 – 6 =	
25.	10 – 7 =	
26.	11 – 7 =	
27.	31 – 7 =	
28.	10 – 8 =	
29.	11 – 8 =	
30.	41 – 8 =	
31.	10 – 9 =	
32.	11 – 9 =	
33.	51 – 9 =	
34.	12 – 3 =	
35.	82 – 3 =	
36.	13 – 5 =	
37.	73 – 5 =	
38.	14 – 6 =	
39.	84 – 6 =	
40.	15 – 8 =	
41.	95 – 8 =	
42.	16 – 7 =	
43.	46 – 7 =	
44.	68 – 9 =	

Lección 23:   Usar vínculos numéricos para separar minuendos de tres dígitos y restarle   **135**
a la centena.

© 2019 Great Minds®. eureka-math.org

B

Respuestas correctas: _____

Patrones de resta

Mejora: _____

1.	10 – 2 =		23.	21 – 6 =	
2.	20 – 2 =		24.	41 – 6 =	
3.	30 – 2 =		25.	10 – 7 =	
4.	50 – 2 =		26.	11 – 7 =	
5.	10 – 2 =		27.	51 – 7 =	
6.	11 – 2 =		28.	10 – 8 =	
7.	21 – 2 =		29.	11 – 8 =	
8.	61 – 2 =		30.	61 – 8 =	
9.	10 – 3 =		31.	10 – 9 =	
10.	11 – 3 =		32.	11 – 9 =	
11.	21 – 3 =		33.	31 – 9 =	
12.	71 – 3 =		34.	12 – 3 =	
13.	10 – 4 =		35.	92 – 3 =	
14.	11 – 4 =		36.	13 – 5 =	
15.	21 – 4 =		37.	43 – 5 =	
16.	81 – 4 =		38.	14 – 6 =	
17.	10 – 5 =		39.	64 – 6 =	
18.	11 – 5 =		40.	15 – 8 =	
19.	21 – 5 =		41.	85 – 8 =	
20.	91 – 5 =		42.	16 – 7 =	
21.	10 – 6 =		43.	76 – 7 =	
22.	11 – 6 =		44.	58 – 9 =	

Lección 23:   Usar vínculos numéricos para separar minuendos de tres dígitos y restarle a la centena.

137

© 2019 Great Minds®. eureka-math.org

A

Respuestas correctas: _____

Patrones de resta

1.	30 – 1 =		23.	31 – 2 =	
2.	40 – 2 =		24.	31 – 3 =	
3.	50 – 3 =		25.	31 – 4 =	
4.	50 – 4 =		26.	41 – 4 =	
5.	50 – 5 =		27.	51 – 5 =	
6.	50 – 9 =		28.	61 – 6 =	
7.	51 – 9 =		29.	71 – 7 =	
8.	61 – 9 =		30.	81 – 8 =	
9.	81 – 9 =		31.	82 – 8 =	
10.	82 – 9 =		32.	82 – 7 =	
11.	92 – 9 =		33.	82 – 6 =	
12.	93 – 9 =		34.	82 – 3 =	
13.	93 – 8 =		35.	34 – 5 =	
14.	83 – 8 =		36.	45 – 6 =	
15.	33 – 8 =		37.	56 – 7 =	
16.	33 – 7 =		38.	67 – 8 =	
17.	43 – 7 =		39.	78 – 9 =	
18.	53 – 6 =		40.	77 – 9 =	
19.	63 – 6 =		41.	64 – 6 =	
20.	63 – 5 =		42.	24 – 8 =	
21.	73 – 5 =		43.	35 – 8 =	
22.	93 – 5 =		44.	36 – 8 =	

Lección 26: Usar dibujos matemáticos para representar restas con hasta dos descomposiciones y relacionar dibujos con un método escrito.

139

© 2019 Great Minds®. eureka-math.org

B

Respuestas correctas: _____

Patrones de resta

Mejora: _____

1.	20 – 1 =	
2.	30 – 2 =	
3.	40 – 3 =	
4.	40 – 4 =	
5.	40 – 5 =	
6.	40 – 9 =	
7.	41 – 9 =	
8.	51 – 9 =	
9.	71 – 9 =	
10.	72 – 9 =	
11.	82 – 9 =	
12.	83 – 9 =	
13.	83 – 8 =	
14.	93 – 8 =	
15.	23 – 8 =	
16.	23 – 7 =	
17.	33 – 7 =	
18.	43 – 6 =	
19.	53 – 6 =	
20.	53 – 5 =	
21.	63 – 5 =	
22.	83 – 5 =	

23.	21 – 2 =	
24.	21 – 3 =	
25.	21 – 4 =	
26.	31 – 4 =	
27.	41 – 5 =	
28.	51 – 6 =	
29.	61 – 7 =	
30.	71 – 8 =	
31.	72 – 8 =	
32.	72 – 7 =	
33.	72 – 6 =	
34.	72 – 3 =	
35.	24 – 5 =	
36.	35 – 6 =	
37.	46 – 7 =	
38.	57 – 8 =	
39.	68 – 9 =	
40.	67 – 9 =	
41.	54 – 6 =	
42.	24 – 9 =	
43.	35 – 9 =	
44.	46 – 9 =	

Lección 26: Usar dibujos matemáticos para representar restas con hasta dos
descomposiciones y relacionar dibujos con un método escrito.

141

© 2019 Great Minds®. eureka-math.org

A

Respuestas correctas: _____

Restarle a una decena o a cien

1.	10 – 1 =	
2.	100 – 10 =	
3.	90 – 1 =	
4.	100 – 11 =	
5.	10 – 2 =	
6.	100 – 20 =	
7.	80 – 1 =	
8.	100 – 21 =	
9.	10 – 5 =	
10.	100 – 50 =	
11.	50 – 2 =	
12.	100 – 52 =	
13.	10 – 4 =	
14.	100 – 40 =	
15.	60 – 1 =	
16.	100 – 41 =	
17.	10 – 3 =	
18.	100 – 30 =	
19.	70 – 5 =	
20.	100 – 35 =	
21.	100 – 80 =	
22.	100 – 81 =	

23.	100 – 82 =	
24.	100 – 85 =	
25.	100 – 15 =	
26.	100 – 70 =	
27.	100 – 71 =	
28.	100 – 72 =	
29.	100 – 75 =	
30.	100 – 25 =	
31.	100 – 10 =	
32.	100 – 11 =	
33.	100 – 12 =	
34.	100 – 18 =	
35.	100 – 82 =	
36.	100 – 60 =	
37.	100 – 6 =	
38.	100 – 70 =	
39.	100 – 7 =	
40.	100 – 43 =	
41.	100 – 8 =	
42.	100 – 59 =	
43.	100 – 4 =	
44.	100 – 68 =	

B

Respuestas correctas: _____

Restarle a una decena o a cien

Mejora: _____

1.	10 – 5 =	
2.	100 – 50 =	
3.	50 – 1 =	
4.	100 – 51 =	
5.	10 – 2 =	
6.	100 – 20 =	
7.	80 – 1 =	
8.	100 – 21 =	
9.	10 – 1 =	
10.	100 – 10 =	
11.	90 – 2 =	
12.	100 – 12 =	
13.	10 – 3 =	
14.	100 – 30 =	
15.	70 – 1 =	
16.	100 – 31 =	
17.	10 – 4 =	
18.	100 – 40 =	
19.	60 – 5 =	
20.	100 – 45 =	
21.	100 – 70 =	
22.	100 – 71 =	

23.	100 – 72 =	
24.	100 – 75 =	
25.	100 – 25 =	
26.	100 – 80 =	
27.	100 – 81 =	
28.	100 – 82 =	
29.	100 – 85 =	
30.	100 – 15 =	
31.	100 – 10 =	
32.	100 – 11 =	
33.	100 – 12 =	
34.	100 – 17 =	
35.	100 – 83 =	
36.	100 – 70 =	
37.	100 – 7 =	
38.	100 – 60 =	
39.	100 – 6 =	
40.	100 – 42 =	
41.	100 – 4 =	
42.	100 – 58 =	
43.	100 – 8 =	
44.	100 – 67 =	

A

Respuestas correctas: _____

Resta cruzando una decena

1.	30 – 1 =	
2.	40 – 2 =	
3.	50 – 3 =	
4.	50 – 4 =	
5.	50 – 5 =	
6.	50 – 9 =	
7.	51 – 9 =	
8.	61 – 9 =	
9.	81 – 9 =	
10.	82 – 9 =	
11.	92 – 9 =	
12.	93 – 9 =	
13.	93 – 8 =	
14.	83 – 8 =	
15.	33 – 8 =	
16.	33 – 7 =	
17.	43 – 7 =	
18.	53 – 6 =	
19.	63 – 6 =	
20.	63 – 5 =	
21.	73 – 5 =	
22.	93 – 5 =	

23.	31 – 2 =	
24.	31 – 3 =	
25.	31 – 4 =	
26.	41 – 4 =	
27.	51 – 5 =	
28.	61 – 6 =	
29.	71 – 7 =	
30.	81 – 8 =	
31.	82 – 8 =	
32.	82 – 7 =	
33.	82 – 6 =	
34.	82 – 3 =	
35.	34 – 5 =	
36.	45 – 6 =	
37.	56 – 7 =	
38.	67 – 8 =	
39.	78 – 9 =	
40.	77 – 9 =	
41.	64 – 6 =	
42.	24 – 8 =	
43.	35 – 8 =	
44.	36 – 8 =	

EUREKA MATH

Lección 30: Comparar el método de totales debajo y grupos nuevos abajo como métodos escritos.

© 2019 Great Minds®. eureka-math.org

147

B

Resta cruzando una decena

Respuestas correctas: _____

Mejora: _____

1.	20 – 1 =	
2.	30 – 2 =	
3.	40 – 3 =	
4.	40 – 4 =	
5.	40 – 5 =	
6.	40 – 9 =	
7.	41 – 9 =	
8.	51 – 9 =	
9.	71 – 9 =	
10.	72 – 9 =	
11.	82 – 9 =	
12.	83 – 9 =	
13.	83 – 8 =	
14.	93 – 8 =	
15.	23 – 8 =	
16.	23 – 7 =	
17.	33 – 7 =	
18.	43 – 6 =	
19.	53 – 6 =	
20.	53 – 5 =	
21.	63 – 5 =	
22.	83 – 5 =	

23.	21 – 2 =	
24.	21 – 3 =	
25.	21 – 4 =	
26.	31 – 4 =	
27.	41 – 5 =	
28.	51 – 6 =	
29.	61 – 7 =	
30.	71 – 8 =	
31.	72 – 8 =	
32.	72 – 7 =	
33.	72 – 6 =	
34.	72 – 3 =	
35.	24 – 5 =	
36.	35 – 6 =	
37.	46 – 7 =	
38.	57 – 8 =	
39.	68 – 9 =	
40.	67 – 9 =	
41.	54 – 6 =	
42.	24 – 9 =	
43.	35 – 9 =	
44.	46 – 9 =	

EUREKA MATH®   **Lección 30:**   Comparar el método de totales debajo y grupos nuevos abajo como métodos escritos.   **149**

© 2019 Great Minds®. eureka-math.org

2.° grado
Módulo 5

A

Respuestas correctas: _____

Suma múltiplos de diez y algunas unidades

1.	40 + 3 =		23.	45 + 44 =	
2.	40 + 8 =		24.	44 + 45 =	
3.	40 + 9 =		25.	30 + 20 =	
4.	40 + 10 =		26.	34 + 20 =	
5.	41 + 10 =		27.	34 + 21 =	
6.	42 + 10 =		28.	34 + 25 =	
7.	45 + 10 =		29.	34 + 52 =	
8.	45 + 11 =		30.	50 + 30 =	
9.	45 + 12 =		31.	56 + 30 =	
10.	44 + 12 =		32.	56 + 31 =	
11.	43 + 12 =		33.	56 + 32 =	
12.	43 + 13 =		34.	32 + 56 =	
13.	13 + 43 =		35.	23 + 56 =	
14.	40 + 20 =		36.	24 + 75 =	
15.	41 + 20 =		37.	16 + 73 =	
16.	42 + 20 =		38.	34 + 54 =	
17.	47 + 20 =		39.	62 + 37 =	
18.	47 + 30 =		40.	45 + 34 =	
19.	47 + 40 =		41.	27 + 61 =	
20.	47 + 41 =		42.	16 + 72 =	
21.	47 + 42 =		43.	36 + 42 =	
22.	45 + 42 =		44.	32 + 54 =	

EUREKA MATH

Lección 3:   Sumar múltiplos de 100 y algunas decenas hasta 1,000.

153

© 2019 Great Minds®. eureka-math.org

B

Respuestas correctas: _____

Mejora: _____

Suma múltiplos de diez y algunas unidades

1.	50 + 3 =		23.	55 + 44 =	
2.	50 + 8 =		24.	44 + 55 =	
3.	50 + 9 =		25.	40 + 20 =	
4.	50 + 10 =		26.	44 + 20 =	
5.	51 + 10 =		27.	44 + 21 =	
6.	52 + 10 =		28.	44 + 25 =	
7.	55 + 10 =		29.	44 + 52 =	
8.	55 + 11 =		30.	60 + 30 =	
9.	55 + 12 =		31.	66 + 30 =	
10.	54 + 12 =		32.	66 + 31 =	
11.	53 + 12 =		33.	66 + 32 =	
12.	53 + 13 =		34.	32 + 66 =	
13.	13 + 43 =		35.	23 + 66 =	
14.	50 + 20 =		36.	25 + 74 =	
15.	51 + 20 =		37.	13 + 76 =	
16.	52 + 20 =		38.	43 + 45 =	
17.	57 + 20 =		39.	26 + 73 =	
18.	57 + 30 =		40.	54 + 43 =	
19.	57 + 40 =		41.	72 + 16 =	
20.	57 + 41 =		42.	61 + 27 =	
21.	57 + 42 =		43.	63 + 24 =	
22.	55 + 42 =		44.	32 + 45 =	

A

Respuestas correctas: _____

Resta múltiplos de diez y algunas unidades

1.	33 – 22 =	
2.	44 – 33 =	
3.	55 – 44 =	
4.	99 – 88 =	
5.	33 – 11 =	
6.	44 – 22 =	
7.	55 – 33 =	
8.	88 – 22 =	
9.	66 – 22 =	
10.	43 – 11 =	
11.	34 – 11 =	
12.	45 – 11 =	
13.	46 – 12 =	
14.	55 – 12 =	
15.	54 – 12 =	
16.	55 – 21 =	
17.	64 – 21 =	
18.	63 – 21 =	
19.	45 – 21 =	
20.	34 – 12 =	
21.	43 – 21 =	
22.	54 – 32 =	

23.	99 – 32 =	
24.	86 – 32 =	
25.	79 – 32 =	
26.	79 – 23 =	
27.	68 – 13 =	
28.	69 – 23 =	
29.	89 – 14 =	
30.	77 – 12 =	
31.	57 – 12 =	
32.	77 – 32 =	
33.	99 – 36 =	
34.	88 – 25 =	
35.	89 – 36 =	
36.	98 – 16 =	
37.	78 – 26 =	
38.	99 – 37 =	
39.	89 – 38 =	
40.	59 – 28 =	
41.	99 – 58 =	
42.	99 – 45 =	
43.	78 – 43 =	
44.	98 – 73 =	

EUREKA MATH®

Lección 4:   Restar múltiplos de 100 y algunas decenas hasta 1,000.

157

B

Respuestas correctas: _____

Mejora: _____

Resta múltiplos de diez y algunas unidades

1.	33 – 11 =	
2.	44 – 11 =	
3.	55 – 11 =	
4.	88 – 11 =	
5.	33 – 22 =	
6.	44 – 22 =	
7.	55 – 22 =	
8.	99 – 22 =	
9.	77 – 22 =	
10.	34 – 11 =	
11.	43 – 11 =	
12.	54 – 11 =	
13.	55 – 12 =	
14.	46 – 12 =	
15.	44 – 12 =	
16.	64 – 21 =	
17.	55 – 21 =	
18.	53 – 21 =	
19.	44 – 21 =	
20.	34 – 22 =	
21.	43 – 22 =	
22.	54 – 22 =	

23.	99 – 42 =	
24.	79 – 32 =	
25.	89 – 52 =	
26.	99 – 23 =	
27.	79 – 13 =	
28.	79 – 23 =	
29.	99 – 14 =	
30.	87 – 12 =	
31.	77 – 12 =	
32.	87 – 32 =	
33.	99 – 36 =	
34.	78 – 25 =	
35.	79 – 36 =	
36.	88 – 16 =	
37.	88 – 26 =	
38.	89 – 37 =	
39.	99 – 38 =	
40.	69 – 28 =	
41.	89 – 58 =	
42.	99 – 45 =	
43.	68 – 43 =	
44.	98 – 72 =	

EUREKA MATH

Lección 4:   Restar múltiplos de 100 y algunas decenas hasta 1,000.

159

© 2019 Great Minds®. eureka-math.org

A

Respuestas correctas: _____

Suma de dos dígitos

1.	38 + 1 =		23.	85 + 7 =	
2.	47 + 2 =		24.	85 + 9 =	
3.	56 + 3 =		25.	76 + 4 =	
4.	65 + 4 =		26.	76 + 5 =	
5.	31 + 8 =		27.	76 + 6 =	
6.	42 + 7 =		28.	76 + 9 =	
7.	53 + 6 =		29.	64 + 6 =	
8.	64 + 5 =		30.	64 + 7 =	
9.	49 + 1 =		31.	76 + 8 =	
10.	49 + 2 =		32.	43 + 7 =	
11.	49 + 3 =		33.	43 + 8 =	
12.	49 + 5 =		34.	43 + 9 =	
13.	58 + 2 =		35.	52 + 8 =	
14.	58 + 3 =		36.	52 + 9 =	
15.	58 + 4 =		37.	59 + 1 =	
16.	58 + 6 =		38.	59 + 3 =	
17.	67 + 3 =		39.	58 + 2 =	
18.	57 + 4 =		40.	58 + 4 =	
19.	57 + 5 =		41.	77 + 3 =	
20.	57 + 7 =		42.	77 + 5 =	
21.	85 + 5 =		43.	35 + 5 =	
22.	85 + 6 =		44.	35 + 8 =	

B

Respuestas correctas: _____

Mejora: _____

Suma de dos dígitos

1.	28 + 1 =	
2.	37 + 2 =	
3.	46 + 3 =	
4.	55 + 4 =	
5.	21 + 8 =	
6.	32 + 7 =	
7.	43 + 6 =	
8.	54 + 5 =	
9.	39 + 1 =	
10.	39 + 2 =	
11.	39 + 3 =	
12.	39 + 5 =	
13.	48 + 2 =	
14.	48 + 3 =	
15.	48 + 4 =	
16.	48 + 6 =	
17.	57 + 3 =	
18.	57 + 4 =	
19.	57 + 5 =	
20.	57 + 7 =	
21.	75 + 5 =	
22.	75 + 6 =	

23.	75 + 7 =	
24.	75 + 9 =	
25.	66 + 4 =	
26.	66 + 5 =	
27.	66 + 6 =	
28.	66 + 9 =	
29.	54 + 6 =	
30.	54 + 7 =	
31.	54 + 8 =	
32.	33 + 7 =	
33.	33 + 8 =	
34.	33 + 9 =	
35.	42 + 8 =	
36.	42 + 9 =	
37.	49 + 1 =	
38.	49 + 3 =	
39.	58 + 2 =	
40.	58 + 4 =	
41.	67 + 3 =	
42.	67 + 5 =	
43.	85 + 5 =	
44.	85 + 8 =	

A

Respuestas correctas: _____

Suma cruzando decenas

1.	8 + 2 =	
2.	18 + 2 =	
3.	38 + 2 =	
4.	7 + 3 =	
5.	17 + 3 =	
6.	37 + 3 =	
7.	8 + 3 =	
8.	18 + 3 =	
9.	28 + 3 =	
10.	6 + 5 =	
11.	16 + 5 =	
12.	26 + 5 =	
13.	18 + 4 =	
14.	28 + 4 =	
15.	16 + 6 =	
16.	26 + 6 =	
17.	18 + 5 =	
18.	28 + 5 =	
19.	16 + 7 =	
20.	26 + 7 =	
21.	19 + 2 =	
22.	17 + 4 =	

23.	18 + 6 =	
24.	28 + 6 =	
25.	16 + 8 =	
26.	26 + 8 =	
27.	18 + 7 =	
28.	18 + 8 =	
29.	28 + 7 =	
30.	28 + 8 =	
31.	15 + 9 =	
32.	16 + 9 =	
33.	25 + 9 =	
34.	26 + 9 =	
35.	14 + 7 =	
36.	16 + 6 =	
37.	15 + 8 =	
38.	23 + 8 =	
39.	25 + 7 =	
40.	15 + 7 =	
41.	24 + 7 =	
42.	14 + 9 =	
43.	19 + 8 =	
44.	28 + 9 =	

EUREKA MATH

Lección 10:   Usar dibujos matemáticos para representar sumas con hasta dos composiciones y relacionar los dibujos al algoritmo de suma.

B

Respuestas correctas: _____

Mejora: _____

Suma cruzando decenas

1.	9 + 1 =		23.	19 + 5 =	
2.	19 + 1 =		24.	29 + 5 =	
3.	39 + 1 =		25.	17 + 7 =	
4.	6 + 4 =		26.	27 + 7 =	
5.	16 + 4 =		27.	19 + 6 =	
6.	36 + 4 =		28.	19 + 7 =	
7.	9 + 2 =		29.	29 + 6 =	
8.	19 + 2 =		30.	29 + 7 =	
9.	29 + 2 =		31.	17 + 8 =	
10.	7 + 4 =		32.	17 + 9 =	
11.	17 + 4 =		33.	27 + 8 =	
12.	27 + 4 =		34.	27 + 9 =	
13.	19 + 3 =		35.	12 + 9 =	
14.	29 + 3 =		36.	14 + 8 =	
15.	17 + 5 =		37.	16 + 7 =	
16.	27 + 5 =		38.	28 + 6 =	
17.	19 + 4 =		39.	26 + 8 =	
18.	29 + 4 =		40.	24 + 8 =	
19.	17 + 6 =		41.	13 + 8 =	
20.	27 + 6 =		42.	24 + 9 =	
21.	18 + 3 =		43.	29 + 8 =	
22.	26 + 5 =		44.	18 + 9 =	

EUREKA MATH®

Lección 10:   Usar dibujos matemáticos para representar sumas con hasta dos composiciones y relacionar los dibujos al algoritmo de suma.

167

© 2019 Great Minds®. eureka-math.org

A

Respuestas correctas: _____

Usa la compensación para sumar

1.	98 + 3 =	
2.	98 + 4 =	
3.	98 + 5 =	
4.	98 + 8 =	
5.	98 + 6 =	
6.	98 + 9 =	
7.	98 + 7 =	
8.	99 + 2 =	
9.	99 + 3 =	
10.	99 + 4 =	
11.	99 + 9 =	
12.	99 + 6 =	
13.	99 + 8 =	
14.	99 + 5 =	
15.	99 + 7 =	
16.	98 + 13 =	
17.	98 + 24 =	
18.	98 + 35 =	
19.	98 + 46 =	
20.	98 + 57 =	
21.	98 + 68 =	
22.	98 + 79 =	

23.	99 + 12 =	
24.	99 + 23 =	
25.	99 + 34 =	
26.	99 + 45 =	
27.	99 + 56 =	
28.	99 + 67 =	
29.	99 + 78 =	
30.	35 + 99 =	
31.	45 + 98 =	
32.	46 + 99 =	
33.	56 + 98 =	
34.	67 + 99 =	
35.	77 + 98 =	
36.	68 + 99 =	
37.	78 + 98 =	
38.	99 + 95 =	
39.	93 + 99 =	
40.	99 + 95 =	
41.	94 + 99 =	
42.	98 + 96 =	
43.	94 + 98 =	
44.	98 + 88 =	

B

Usa la compensación para sumar

Respuestas correctas: _____

Mejora: _____

1.	99 + 2 =	
2.	99 + 3 =	
3.	99 + 4 =	
4.	99 + 8 =	
5.	99 + 6 =	
6.	99 + 9 =	
7.	99 + 5 =	
8.	99 + 7 =	
9.	98 + 3 =	
10.	98 + 4 =	
11.	98 + 5 =	
12.	98 + 9 =	
13.	98 + 7 =	
14.	98 + 8 =	
15.	98 + 6 =	
16.	99 + 12 =	
17.	99 + 23 =	
18.	99 + 34 =	
19.	99 + 45 =	
20.	99 + 56 =	
21.	99 + 67 =	
22.	99 + 78 =	

23.	98 + 13 =	
24.	98 + 24 =	
25.	98 + 35 =	
26.	98 + 46 =	
27.	98 + 57 =	
28.	98 + 68 =	
29.	98 + 79 =	
30.	25 + 99 =	
31.	35 + 98 =	
32.	36 + 99 =	
33.	46 + 98 =	
34.	57 + 99 =	
35.	67 + 98 =	
36.	78 + 99 =	
37.	88 + 98 =	
38.	99 + 93 =	
39.	95 + 99 =	
40.	99 + 97 =	
41.	92 + 99 =	
42.	98 + 94 =	
43.	96 + 98 =	
44.	98 + 86 =	

Lección 12:   Elegir y explicar estrategias de solución y registrarlas con un método
escrito de suma.

171

Nombre _____   Fecha _____

1.	10 + 2 =	21.	2 + 9 =
2.	10 + 5 =	22.	4 + 8 =
3.	10 + 1 =	23.	5 + 9 =
4.	8 + 10 =	24.	6 + 6 =
5.	7 + 10 =	25.	7 + 5 =
6.	10 + 3 =	26.	5 + 8 =
7.	12 + 2 =	27.	8 + 3 =
8.	14 + 3 =	28.	6 + 8 =
9.	15 + 4 =	29.	4 + 6 =
10.	17 + 2 =	30.	7 + 6 =
11.	13 + 5 =	31.	7 + 4 =
12.	14 + 4 =	32.	7 + 9 =
13.	16 + 3 =	33.	7 + 7 =
14.	11 + 7 =	34.	8 + 6 =
15.	9 + 2 =	35.	6 + 9 =
16.	9 + 9 =	36.	8 + 5 =
17.	6 + 9 =	37.	4 + 7 =
18.	8 + 9 =	38.	3 + 9 =
19.	7 + 8 =	39.	8 + 6 =
20.	8 + 8 =	40.	9 + 4 =

Lección 14:   Usar dibujos matemáticos para representar la resta con hasta dos descomposiciones, relacionar los dibujos al algoritmo y utilizar la suma para explicar por qué funciona el método de resta.

© 2019 Great Minds®. eureka-math.org

Nombre _____   Fecha _____

1.	10 + 7 =	21.	5 + 8 =
2.	9 + 10 =	22.	6 + 7 =
3.	2 + 10 =	23.	____ + 4 = 12
4.	10 + 5 =	24.	____ + 7 = 13
5.	11 + 3 =	25.	6 + ____ = 14
6.	12 + 4 =	26.	7 + ____ = 14
7.	16 + 3 =	27.	____ = 9 + 8
8.	15 + ____ = 19	28.	____ = 7 + 5
9.	18 + ____ = 20	29.	____ = 4 + 8
10.	13 + 5 =	30.	3 + 9 =
11.	____ = 4 + 13	31.	6 + 7 =
12.	____ = 6 + 12	32.	8 + ____ = 13
13.	____ = 14 + 6	33.	____ = 7 + 9
14.	9 + 3 =	34.	6 + 6 =
15.	7 + 9 =	35.	____ = 7 + 5
16.	____ + 4 = 11	36.	____ = 4 + 8
17.	____ + 6 = 13	37.	15 = 7 + ___
18.	____ + 5 = 12	38.	18 = ____ + 9
19.	8 + 8 =	39.	16 = ____ + 7
20.	6 + 9 =	40.	19 = 9 + ____

Nombre _____   Fecha _____

1.	15 – 5 =	21.	15 – 7 =
2.	16 – 6 =	22.	18 – 9 =
3.	17 – 10 =	23.	16 – 8 =
4.	12 – 10 =	24.	15 – 6 =
5.	13 – 3 =	25.	17 – 8 =
6.	11 – 10 =	26.	14 – 6 =
7.	19 – 9 =	27.	16 – 9 =
8.	20 – 10 =	28.	13 – 8 =
9.	14 – 4 =	29.	12 – 5 =
10.	18 – 11 =	30.	11 – 2 =
11.	11 – 2 =	31.	11 – 3 =
12.	12 – 3 =	32.	13 – 8 =
13.	14 – 2 =	33.	16 – 7 =
14.	13 – 4 =	34.	12 – 7 =
15.	11 – 3 =	35.	16 – 3 =
16.	12 – 4 =	36.	19 – 14 =
17.	13 – 2 =	37.	17 – 4 =
18.	14 – 5 =	38.	18 – 16 =
19.	11 – 4 =	39.	15 – 11 =
20.	12 – 5 =	40.	20 – 16 =

Nombre _____   Fecha _____

1.	12 – 2 =	21.	13 – 6 =
2.	15 – 10 =	22.	15 – 9 =
3.	17 – 11 =	23.	18 – 7 =
4.	12 – 10 =	24.	14 – 8 =
5.	18 – 12 =	25.	17 – 9 =
6.	16 – 13 =	26.	12 – 9 =
7.	19 – 9 =	27.	13 – 8 =
8.	20 – 10 =	28.	15 – 7 =
9.	14 – 12 =	29.	16 – 8 =
10.	13 – 3 =	30.	14 – 7 =
11.	_____ = 11 – 2	31.	13 – 9 =
12.	_____ = 13 – 2	32.	17 – 8 =
13.	_____ = 12 – 3	33.	16 – 7 =
14.	_____ = 11 – 4	34.	_____ = 13 – 5
15.	_____ = 13 – 4	35.	_____ = 15 – 8
16.	_____ = 14 – 4	36.	_____ = 18 – 9
17.	_____ = 11 – 3	37.	_____ = 20 – 6
18.	15 – 6 =	38.	_____ = 20 – 18
19.	16 – 8 =	39.	_____ = 20 – 3
20.	12 – 5 =	40.	_____ = 20 – 11

Lección 14:   Usar dibujos matemáticos para representar la resta con hasta dos descomposiciones, relacionar los dibujos al algoritmo y utilizar la suma para explicar por qué funciona el método de resta.   **179**

© 2019 Great Minds®. eureka-math.org

Nombre _____   Fecha _____

1.	12 + 2 =	21.	13 – 7 =
2.	14 + 5 =	22.	11 – 8 =
3.	18 + 2 =	23.	16 – 8 =
4.	11 + 7 =	24.	12 + 6 =
5.	9 + 6 =	25.	13 + 2 =
6.	7 + 8 =	26.	9 + 11 =
7.	4 + 7 =	27.	6 + 8 =
8.	13 – 6 =	28.	7 + 9 =
9.	12 – 8 =	29.	5 + 7 =
10.	17 – 9 =	30.	13 – 7 =
11.	14 – 6 =	31.	15 – 8 =
12.	16 – 7 =	32.	11 – 9 =
13.	8 + 8 =	33.	12 – 3 =
14.	7 + 6 =	34.	14 – 5 =
15.	4 + 9 =	35.	20 – 12 =
16.	5 + 7 =	36.	8 + 5 =
17.	6 + 5 =	37.	7 + 4 =
18.	13 – 8 =	38.	7 + 8 =
19.	16 – 9 =	39.	4 + 9 =
20.	14 – 8 =	40.	9 + 11 =

Lección 14:   Usar dibujos matemáticos para representar la resta con hasta dos descomposiciones, relacionar los dibujos al algoritmo y utilizar la suma para explicar por qué funciona el método de resta.

181

© 2019 Great Minds®. eureka-math.org

A

Respuestas correctas: _____

Resta de números del 11 al 19

1.	11 – 10 =	
2.	12 – 10 =	
3.	13 – 10 =	
4.	19 – 10 =	
5.	11 – 1 =	
6.	12 – 2 =	
7.	13 – 3 =	
8.	17 – 7 =	
9.	11 – 2 =	
10.	11 – 3 =	
11.	11 – 4 =	
12.	11 – 8 =	
13.	18 – 8 =	
14.	13 – 4 =	
15.	13 – 5 =	
16.	13 – 6 =	
17.	13 – 8 =	
18.	16 – 6 =	
19.	12 – 3 =	
20.	12 – 4 =	
21.	12 – 5 =	
22.	12 – 9 =	

23.	19 – 9 =	
24.	15 – 6 =	
25.	15 – 7 =	
26.	15 – 9 =	
27.	20 – 10 =	
28.	14 – 5 =	
29.	14 – 6 =	
30.	14 – 7 =	
31.	14 – 9 =	
32.	15 – 5 =	
33.	17 – 8 =	
34.	17 – 9 =	
35.	18 – 8 =	
36.	16 – 7 =	
37.	16 – 8 =	
38.	16 – 9 =	
39.	17 – 10 =	
40.	12 – 8 =	
41.	18 – 9 =	
42.	11 – 9 =	
43.	15 – 8 =	
44.	13 – 7 =	

Lección 16: Restar múltiplos de 100 y números con cero en la posición de las decenas.

© 2019 Great Minds®. eureka-math.org

183

B

Respuestas correctas: _____

Resta de números del 11 al 19

Mejora: _____

1.	11 – 1 =	
2.	12 – 2 =	
3.	13 – 3 =	
4.	18 – 8 =	
5.	11 – 10 =	
6.	12 – 10 =	
7.	13 – 10 =	
8.	18 – 10 =	
9.	11 – 2 =	
10.	11 – 3 =	
11.	11 – 4 =	
12.	11 – 7 =	
13.	19 – 9 =	
14.	12 – 3 =	
15.	12 – 4 =	
16.	12 – 5 =	
17.	12 – 8 =	
18.	17 – 7 =	
19.	13 – 4 =	
20.	13 – 5 =	
21.	13 – 6 =	
22.	13 – 9 =	

23.	16 – 6 =	
24.	14 – 5 =	
25.	14 – 6 =	
26.	14 – 7 =	
27.	14 – 9 =	
28.	20 – 10 =	
29.	15 – 6 =	
30.	15 – 7 =	
31.	15 – 9 =	
32.	14 – 4 =	
33.	16 – 7 =	
34.	16 – 8 =	
35.	16 – 9 =	
36.	20 – 10 =	
37.	17 – 8 =	
38.	17 – 9 =	
39.	16 – 10 =	
40.	18 – 9 =	
41.	12 – 9 =	
42.	13 – 7 =	
43.	11 – 8 =	
44.	15 – 8 =	

A

Resta cruzando la decena

Respuestas correctas: _____

1.	10 – 1 =	
2.	10 – 2 =	
3.	20 – 2 =	
4.	40 – 2 =	
5.	10 – 2 =	
6.	11 – 2 =	
7.	21 – 2 =	
8.	51 – 2 =	
9.	10 – 3 =	
10.	11 – 3 =	
11.	21 – 3 =	
12.	61 – 3 =	
13.	10 – 4 =	
14.	11 – 4 =	
15.	21 – 4 =	
16.	71 – 4 =	
17.	10 – 5 =	
18.	11 – 5 =	
19.	21 – 5 =	
20.	81 – 5 =	
21.	10 – 6 =	
22.	11 – 6 =	

23.	21 – 6 =	
24.	91 – 6 =	
25.	10 – 7 =	
26.	11 – 7 =	
27.	31 – 7 =	
28.	10 – 8 =	
29.	11 – 8 =	
30.	41 – 8 =	
31.	10 – 9 =	
32.	11 – 9 =	
33.	51 – 9 =	
34.	12 – 3 =	
35.	82 – 3 =	
36.	13 – 5 =	
37.	73 – 5 =	
38.	14 – 6 =	
39.	84 – 6 =	
40.	15 – 8 =	
41.	95 – 8 =	
42.	16 – 7 =	
43.	46 – 7 =	
44.	68 – 9 =	

Lección 17:   Restar múltiplos de 100 y números con cero en la posición de las
                decenas.

© 2019 Great Minds®. eureka-math.org

187

B

Respuestas correctas: _____

Resta cruzando la decena

Mejora: _____

1.	10 – 2 =	
2.	20 – 2 =	
3.	30 – 2 =	
4.	50 – 2 =	
4.	10 – 2 =	
6.	11 – 2 =	
7.	21 – 2 =	
8.	61 – 2 =	
9.	10 – 3 =	
10.	11 – 3 =	
11.	21 – 3 =	
12.	71 – 3 =	
13.	10 – 4 =	
14.	11 – 4 =	
15.	21 – 4 =	
16.	81 – 4 =	
17.	10 – 5 =	
18.	11 – 5 =	
19.	21 – 5 =	
20.	91 – 5 =	
21.	10 – 6 =	
22.	11 – 6 =	

23.	21 – 6 =	
24.	41 – 6 =	
25.	10 – 7 =	
26.	11 – 7 =	
27.	51 – 7 =	
28.	10 – 8 =	
29.	11 – 8 =	
30.	61 – 8 =	
31.	10 – 9 =	
32.	11 – 9 =	
33.	31 – 9 =	
34.	12 – 3 =	
35.	92 – 3 =	
36.	13 – 5 =	
37.	43 – 5 =	
38.	14 – 6 =	
39.	64 – 6 =	
40.	15 – 8 =	
41.	85 – 8 =	
42.	16 – 7 =	
43.	76 – 7 =	
44.	58 – 9 =	

EUREKA MATH®

Lección 17: Restar múltiplos de 100 y números con cero en la posición de las decenas.

© 2019 Great Minds®. eureka-math.org

189

Créditos

Great Minds® ha hecho todos los esfuerzos para obtener permisos para la reimpresión de todo el material protegido por derechos de autor. Si algún propietario de material sujeto a derechos de autor no ha sido mencionado, favor ponerse en contacto con Great Minds para su debida mención en todas las ediciones y reimpresiones futuras.